PEOPLE DESIGN

超福祉
インクルーシブ社会の実現に向けた
アイデアと実践の記録

|著| NPO法人ピープルデザイン研究所

JN061453

ポット出版プラス

はじめに

ピープルデザインという視点

　東京オリンピック・パラリンピックを前にして、「心のバリアフリー」という表現が街のあちこちで聞こえる。私たちの毎日は、まるで乗り降り自由の乗り合いバスのようだ。多様な背景を持つ様々なプレイヤー達を乗せて走っている。

　最近は、教育現場や様々なセミナー等でも「インクルーシブ」「サステナビリティ」というフレーズを耳にする機会も増えた。国際社会においても、2030年に向けていよいよSDGsが話題になり始めていることを実感する。かつては「カタカナが多くて、よく分からない」と講演時に主催者やご年配の方からご意見を頂いていたころが懐かしく思えるほどだ。

　2012年4月、私たちはまちづくりをテーマとするNPO法人「ピープルデザイン研究所」（以下、PDI）を東京都渋谷区に設立した。「心のバリアフリーをクリエイティブに実現する思想と方法論」を「ピープルデザイン」と定義し、従来型の福祉を飛び超えた「超福祉」を標榜し活動している。

　私たちは、目指すべきゴールをダイバーシティ（多様性に寛容な）社会の実現に据えている。自然環境を守る上で生物多様性が重要であるように、それは人間の社会でも有用で、街や地域の持続可能性を担保する上での要諦だと考えているからだ。異なる文化、国籍、宗教、性差、年齢差、障害の有無など、違いに寛容であることは各々の「civic pride（都市や街に対する誇りや愛着）」に繋がり、人を「集める」ちからになる。良きにつけ悪しきにつけ、自ずと生じる共生に向

けた交流を経て、そこに立ち上がる新たな文化や習慣は街や地域の「魅力」となり、ひいては「city capital（資産）」に成熟していく。世界ではこのプロセスを計画的に実施することで人材の獲得に向けた都市間競争が発生しているほどだ。

福祉サービスの受益者として
見えてきた「?」

　1995年5月、そもそもこの活動を始めたきっかけは25年前に遡る。我が家の次男が、重度の脳性麻痺を伴って生まれてきた日が全ての始まりだ。

　当時もハートビル法の施行などを背景に、世の中では「バリアフリー」や「ユニバーサルデザイン」というフレーズが頻繁に語られていた。中には「ユニバーサルファッション」というものまであった。

　例えば公共施設、交通機関や新しいビルなどには、法に則った「バリアフリー」が、そこここに謳われていた。駅のホームの最後尾で、駅員さんが三人がかりで車イスに乗った障害者を電車に乗せている風景も、その頃から目につくようになった。しかしながら一般の人々が車イスユーザーに手を貸している姿はほとんど見ない。むしろ、それは「駅員さんのすることで、私のすることではない」「自分が手伝って、もし何かあったらどうしよう」という気持ちが先行しているのではないかと想像したほどだ。

　なによりも、当時は車イスユーザーが介助者なく、ひとりで街に出てくる姿を見るのは稀だった。息子ははたしてこの国で、将来自立した生活を送れるのだろうか？　人口減による社会保障費の大幅な削減が予想される中で、彼や彼の出生

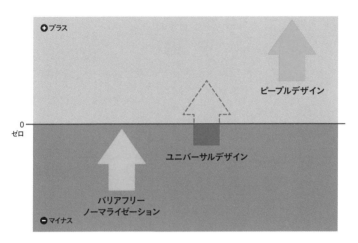

「バリアフリー」や「ユニバーサルデザイン」という言葉は、もともと「マイナス」の領域にいる "可哀想な人達" を、「ゼロ」か「プラス」の領域に引き上げようというイメージが根付いてしまったと考えている。「ピープルデザイン」の視点は、もともと誰もが「プラス」の領域にいて、一人ひとりが違っていて当たり前という考え方。

をきっかけに知った福祉の受益者たちが、ひとりで生活していく上で本当に必要なものは何なのか？　そのために自分自身でできることは何か？　そんな素朴な疑問から、既存の福祉関連の施設や数多くの行事にボランティアとして参加してみたが、正直なところコレだと思える切り口を見出すことはできなかった。誤解を恐れず言えば、そんな関わり合いから得た印象は、「ダサイ」「地味」「ヘンな優しさと思いやり」。当時の福祉業界に従事する方々の特徴と言えば、それまで商業の世界で徹底的に叩き込まれた私から見るに、コスト意識も低く、当然の「良きこと」として関わっておられた。そのギャップに気持ちは沈むばかりだった。

　悶々とした日々を経た数年の後、14年勤めていた会社を退職した。自分自身の時間と身体を使って、自分の仕事とし

毎年授業を行っている、オランダ TU/Delft デルフト工科大学の校舎内の風景。

て、自ら「理想と思える選択肢」を独立した事業として「つくって」みたいと思ったからだ。

日本の常識を前向きに疑え

　当時から現在に至るまで、仕事柄、海外に出向くことが多い。毎回色々な気づきにあふれている。

　ご存知のとおり欧州各国の多くの国の道は石畳が残る。でこぼこなのである。それを膨大なコストを使って平らにしようとするよりも、むしろ幾ばくかの予算を投じて歴史的建造物として守ろうとしている傾向も見受けられる。なにより車イスユーザーを始め、外見や振る舞いから判断できる身体障害者を街で見かける頻度が圧倒的に多い。

　例えばロンドン。チューブやアンダー・グラウンドと呼ばれる地下鉄の歴史は古く、ほとんどの駅にエレベーターは未

海外では市街地以外の場所でも多くの障害者を目にする。写真は足の不自由な方が、
手こぎの自転車に乗ってサイクリングを一緒に楽しむ様子。

だに無い。では2012年ロンドンオリンピック・パラリンピックの時にクレームや問題は起きなかったのか？

　結論から言えば、大なり小なりの困りごとは恐らくあったのだろうが、メディアを通して喧伝させるような「事故」は見られなかったようだ。一部の駅でのホームのかさ上げのほか、車イスユーザーにとってアクセスしやすいウェブを駆使したルート案内サービスなどのソフトの対応がメインだった。なにより象徴的なのは、多くの駅の階段で、一般の人々が声を掛け合い、車イスを運び上げていたことだった。車イスユーザーを目にした人は当たり前のように「手伝おうか？」と声をかけていたし、障害当事者も周辺の人々に「ちょっと手伝ってくれないかい？」と臆することなく手助けを求めていた。そういった風景が街の中で常態化していたことは実に印象的だ。そしてこう声を掛け合ってその場を去るのだ。「良い1日を」「楽しんでね」「ありがとう」「どういたしまして」。

　身体障害者の課題を解決したのは、バリアフリーなる「設備」ではなく、道行く人々のちょっとした「行為や行動」だ

ったのだ。施設にかける「お金の力」ではなく、「人の力」だったのである。

　主要先進国ではもはや稀なのだが、日本では概ね小学校にあがる時点で、健常者の一般クラスと障害者の特別支援クラス（筆者の時代は「特殊学級」）に分けられてしまう。障害者との接触頻度が極めて少ないまま成人を迎えるのが現実だ。社会に出てもそれはあまり変わらない。

　例えば、次の苗字の知人を思い浮かべてみよう。佐藤・鈴木・高橋・田中・伊藤・渡辺・山本さん。では同時に、障害者と呼ばれるあなたの友人は何人いるだろう？　実に障害者の数は約963万人[※1]、日本で多い苗字ベスト7とほぼ同数[※2]なのだが。

　違いを持った人々との交流の術に慣れることなく、私たちの多くは「無知」のまま成人に至る。「無知」は「恐怖」に似た「避けたい感情」を醸成する。できればそうありたくない「スティグマ（負の烙印）」と呼ばれるものに近い。「心のバリア」の源だ。根は教育現場を含む、社会習慣によって無意識のうちに刷り込まれる「常識」にこそあるのではないだろうか。ユニバーサルデザインを学び、知識に留める以上に、育むべくは意識、行為や行動への変容だ。言い換えれば、考え方や容姿の異なる人や物事と接触する機会を増やし、「慣れる」ことで大方のバリアは氷解するはずだ。そんな視点から、今では障害者、LGBTQ、子育て中の父母、認知症を含む高齢者、外国人という5つのマイノリティ属性を入口に、マジョリティとの具体的な共生施策を、それらが新たな選択肢となり社会課題の具体的な解決策となると信じて、創出している。

渋谷のド真ん中、渋谷ヒカリエで開催する
超福祉展

　PDIが主催している2020年で7回目を迎えるイベントが「超福祉展/Super Welfare Expo」（正式名称「2020年、渋谷。超福祉の日常を体験しよう展」）だ。

　この企画で私たちは渋谷という街を「媒体」として活用し、イベントを「手段」と明確化することに徹している。伝えるべきは、超福祉の傘を通した「心のバリアフリー」の具現化と、そこで体感いただく障害者をはじめとするマイノリティ起点のイノベーションの可視化。そして、多様な人たちが当たり前に混ざり合うダイバーシティの意味する、未来へのクリエイティブな可能性や憧憬の喚起だ。

　前述のとおり、かつて私が感じた福祉に明日は見えなかった。1970年代にデンマークで立ち上がったノーマライゼーションの思考に底流を置く「マイナスをゼロに引き上げる」視座にアンカーしている限り、憐憫の情が先行しがちなのは否めない。そこで先ずはこうステートメントすることにした。ハンディキャップがある人＝障害者が、健常者よりも「カッコイイ」「カワイイ」「ヤバイ」と憧れられるような未来を目指し、「意識のバリア」を「憧れ」へ転換させる心のバリアフリー、意識のイノベーションを「超福祉」と定義する。

　一人ひとりの心の中に存在する、障害者をはじめとしたマイノリティや福祉に対する「負い目」にも似た「心のバリア」。従来の福祉のイメージ、「ゼロ以下のマイナスである『かわ

※1　2019年内閣府障害者白書
※2　全国名字由来ネット

超福祉展のロゴマーク

いそうな人たち』をゼロに引き上げようとする」のではなく、「超福祉」の視点では全員がゼロ以上の地点にいて、混ざり合っていることを当たり前と考える。「かわいそう」から「かっこいい」へ。「隠す」から「見せる・魅せる」へ。社会保障費の受け手たる「TAX TAKER」（厚労省領域）から市場を創造する「TAX PAYER」（経産省領域）へ。超福祉展は、イノベーションとは「新たなものの捉え方」であり、市民が主体者として立ち上げていけるものなのだと実感できるイベントだ。

　超福祉展は市場創造やイノベーションを感じる場であり、新しい発想に基づく技術や視点を、展示とシンポジウムの二軸で展開している。例えば電動車イスは、自転車やスケボーに代わる街の新しいモビリティとして提案されている。

「できない理由」よりも
「そうあるためにはどうするか」を考えよう

　私たちはこういったイベント等の「コトづくり」以外に、「シゴトづくり」や「ヒトづくり」を並走させてきた。ちなみに私たちが主催する全てのイベントは、開催地域の福祉事業所

毎年夏に行われる、オールナイトロックフェス「BAYCAMP」での就労体験の様子。早朝から夜遅くまで、多い時は50名以上の障害者が、ゴミステーションを中心に運営スタッフとして働く。

に通う障害者の方々にスタッフとして働いて頂いている。就労体験プロジェクトと称して、概ね4時間の実働に対して、1人2,000円を交通費として支給している。主に自宅と福祉事業所の往復で暮らしを立てる障害者への、表舞台で働くためのきっかけづくりだ。オンステージの"晴れの舞台"で、他者と接触する頻度を上げ、障害当事者にも「慣れて」頂くことを目的のひとつとしている。

　渋谷区の諸施策に続き、2014年7月からは神奈川県川崎市とも包括協定を締結し、ダイバーシティのまちづくりを地域の価値にする取り組みを始めた。例えば、毎シーズンのJリーグ・川崎フロンターレやBリーグ・川崎ブレイブサンダースのホームゲームやロックフェスなどで、障害者の方々を招待するのではなく、もてなす側に回って働いていただく取り組みが定着している。「サッカーやバスケの仕事で競技場に行く」「ロックフェスのスタッフとして働く」。その言葉の響き

ドイツのベルリンにて行われた、日独センターの「イノベーティブなダイバーシティ推進シンポジウム」基調講演時の写真。

には、語る本人の誇りと自信が溢れている。

　協定締結後から2019年3月末まで、この施策を累計2,349名の方々が体験。この経験がきっかけになり、累計212名が企業への一般就労を果たした。現在このスキームをJリーグ全チームに拡散・導入できないか協議中である。また2018年4月からは、東京大学先端科学技術センターと連携し、時給を支払う前提で障害者の「バイト＝超短時間雇用」を渋谷区でもスタートした。これらの施策も、養護学校（現在は特別支援学校に名称変更）を卒業し、就労がテーマになっていった次男のライフステージがヒントになっている。

　制度に頼り、苦情を呈し、行政に陳情する時代は終わったと認識している。限りある財源を、本当に必要としている方々に届けるためにも、私たち市民や職業人のひとり一人、法人という人格をもつ一社一社が、永続的な地域、街、国をどうつくっているかが問われている。その「主体性」が問われて

アルファ ロメオ（FCAジャパン株式会社）様はCSV活動「Be yourself」の一環として、
2013年よりPDIの活動を年間通じてご支援くださっている。

いるのだ。従来の既得権をはじめとする「何か」に縛られ「忖
度」しながら、「できない理由」を模索するよりも先に、「そ
うあるためにはどうするか」を思考し、掛け声に留まらない
具体的な行為・行動に着手すべき時だと思う。

ダイバーシティ・多様性に寛容な社会を
目指して

　2016年春、「ピープルデザイン」は高校の教科書に載り、[※3]
この数年、海外諸大学の授業・講演・ワークショップのコン
テンツとして招聘される機会が増えた。2017年2月には、
SDGsの文脈から、オーストリアの事務局において、人権／
福祉の先にあるものというお題でのキーノートスピーチを承

※3 『JOYFUL English Communication 1』（三友社出版）

った。世界各国から集まった皆さんの前ではさすがに足が震えた。

　2012年に4人で始めたNPOだが、現在はディレクターの田中真宏を筆頭に、障害当事者を含む5名のスタッフが加わり、運営を実質的に担ってくれている。中にはPDIの運営委員として活動するために1年間休学し、プロジェクトの企画・運営をこなす現役大学生のリーダーもいる。

　今回、NPO発足以降の活動の一部をまとめる好機に恵まれた。本書はピープルデザインを活動したダイバーシティの実現に向けた実践集とも言える。制作の費用はクラウドファンディングでの支援によるものだ。全ての活動は私たちが「1人で」行っているものではない。新しい選択肢をつくるべく日々果敢に挑んでいるクリエイターや行政マン、企業人、教育関係者、市民。そんな多様な人々と出会いながら、私たちを乗せた「バス」は、みらいに向かって今日も走っていく。

NPO法人ピープルデザイン研究所

代表理事

須藤シンジ

CONTENTS

project
01 | **ワクワクの"晴れ舞台"で働く**
「就労体験プロジェクト」 ……………… 22

障害者 LGBTQ 子育て中の父母 高齢者 外国人 ✕

シゴトづくり ヒトづくり コトづくり モノづくり

[プロジェクトパートナー]
公益社団法人日本プロサッカーリーグ 社会連携部長
鈴木 順さん ……………… 36

[プロジェクトパートナー]
川崎市健康福祉局障害保健福祉部障害者雇用・就労推進課 係長
平井恭順さん ……………… 40

project
02 | **1日15分からの新しい働き方**
「超短時間雇用モデル」 ……………… 46

障害者 LGBTQ 子育て中の父母 高齢者 外国人 ✕

シゴトづくり ヒトづくり コトづくり モノづくり

[プロジェクトパートナー]
東京大学先端科学技術研究センター人間支援工学分野 准教授
近藤武夫さん ……………… 56

CONTENTS

ピープルデザインのプロジェクトを支える
5つのマイノリティ×4つの切り口

超福祉を実現する糸口は？

　近年、「心のバリアフリー」というフレーズをよく聞くようになった。一方、「ではどのように」という方法論は見えていない。NPO法人ピープルデザイン研究所（以下＊PDI）では、人々が持つ心のバリアをクリエイティブに壊すために、「5つのマイノリティ」と「4つの切り口」をかけあわせて困りごとを解決し、ダイバーシティのまちづくりへのアプローチを行っている。

　例えば、5つのマイノリティの中のひとつ「障害者」と、4つの切り口の中のひとつ「シゴトづくり」をかけあわせたときに生まれる困りごとには、「就労体験プロジェクト」や「超短時間雇用モデル」でアプローチする。

　また、「高齢者」と「ヒトづくり」では「認知症国際交流プロジェクト」、「子育て中の父母」と「ヒトづくり」では「みやまえ子育て応援だん」というように、5つのマイノリティと4つの切り口をかけあわせることで、従来型の福祉を超えたワクワクする「超福祉」を立体的に実現し、ダイバーシティのまちづくりを進めているのだ。次のページから、私たちが取り組んできたアプローチの事例を具体的に紹介していこう。

ダイバーシティのまちづくりを進めるアプローチ

5つのマイノリティ

- 障害者
- LGBTQ※
- 子育て中の父母
- 高齢者
- 外国人

×

4つの切り口

- シゴトづくり
- ヒトづくり
- コトづくり
- モノづくり

※セクシュアル・マイノリティの総称のひとつ

ワクワクの
"晴れ舞台" で働く
「就労体験プロジェクト」

障害者

LGBTQ

子育て中
の父母

高齢者

外国人

✕

シゴト
づくり

ヒト
づくり

コト
づくり

モノ
づくり

障害者の就労環境に
イノベーションを起こす

　2018年4月1日から、障害者の法定雇用率が民間企業で2.2%に引き上げられた。精神障害者の雇用が義務化になり、対象事業主は従業員数45.5人以上と適用範囲が広がったが、障害者雇用の投下コストの有効性が確認されない限り、実現できる数字とは到底言い難いのが現状だ。中央官庁や一部教育委員会の障害者雇用水増し問題もさることながら、障害者の雇用を手間のかかるコストだと認識している企業は、残念ながら少なくない。そこで私たちは、企業に終身雇用を前提とした2.2%の障害者雇用を義務づけるよりも、自社内にある簡易な業務を、障害者の人たちに短期間の就労機会として与えるということを提案している。

　「障害者には健常者と同様の仕事はできない」という固定観念は、さまざまな場所で壁をつくっている。しかし会社に存在するさまざまな業務を洗い出し、切り出して検証してみると、障害者にできる仕事は意外と多い。とはいえ、利益を追求する企業にとって、メリットがなければ障害者雇用を積極的にすすめることは難しいだろう。どうすれば、仕事をしたい障害者と、仕事を依頼したい企業、双方のメリットが得られるか。例えば企業が、アルバイトスタッフに依頼すると、ひと月に10万円のコストがかかるとする。それを約半分のコストである5万円で障害者に依頼すれば、企業にとっては大幅なコストダウンにつながり、障害者にとっては、事業所で得られる収入の数倍の金額を手にすることになる。利益の拡大やコストの圧縮といった企業側の命題に障害者が貢献できることが明らかになれば、障害者雇用が拡大する大き

なきっかけになるはずだ。

PDIが行なっている就労体験プロジェクトでは、企業や団体から協賛・寄付・助成を頂き、参加者には「交通費」として1人2,000円を支給している。1回の実働は約4時間。毎週土日に参加すれば月1万6,000円となり、B型の平均工賃約16,118円[※1]とほぼ同額となる。

川崎市ではこの就労体験をきっかけに、2018年度は1年間で53人の障害者が一般就労を実現している。2018年度に投入された公費は50万円のみ。つまり、1年間1人あたり約1万円で一般就労を実現していることになる。一方、現状の福祉制度を見ると、一般就労できない障害者のための仕組みとして用意されているのは、主に次の4つ。就労移行支援、就労継続支援のA型（雇用型）、B型（非雇用型）、生活介護だ。就労支援を行なっている福祉事業所は、一般就労を果たすためにトレーニングを行うところで、多くは、社会福祉法人や株式会社が運営している。例えばB型の福祉事業所は、障害者を1人受け入れると、給付費として国・県・市から年間140万円〜160万円程度が入るのだ。B型の工賃の月平均は約16,000円[※1]のため、年間で約18万円。したがって、約165万円が入って、18万円を拠出すればいい[※2]、ということになる。この仕組みに比べると、1人あたり年間公費約1万円で一般就労が実現するというのは、イノベーション足り得ると自負している。これからの障害者就労への新たな選択肢となるのだ。

「思いやりとやさしさ」は確かに重要だが、障害当事者が社会

※1　2018年度工賃（賃金）の実績について／厚生労働省
※2　厳密に言うと工賃の原資は別になるため140万円〜160万円が純粋な収入となる

で生きていくための資金の捻出や福祉事業の運営は、やさしさだけではできない。そこには、経営的な思考が欠かせない。今後、教育や医療、介護保険などで格差が広がり、破綻していく地方自治体も増えていくだろう。予算の圧縮や効率化が必須となり行政の公共サービスが急速に民営化される可能性が高い。そんなとき、各々の地域でどのように公益性を守っていくのか、サステナブルな設計運営の視点が重要になってくる。

　ハンディキャップがあっても社会でいきいきと働ける可能性のある方が、行政サービスや税金の受け手に留めずに、充実して働いて所得税の納税者となり、得た賃金でものを買い消費税の納税者となれば。本当に守らなければいけない福祉や医療の対象者に限り有る財源を供給できるようにするためにも、経済の視点を活用して、未来の福祉の在り方を考えることも必要だ。障害者の雇用拡大や就労支援を継続的な事業視点をもって実現しようとする企業・自治体・スポーツチームなどがさらに広がっていくことを願っている。

　ここから、私達たちが実践しているプロジェクトを紹介する。

"晴れ舞台"のわくわくする仕事が モチベーションを高め自信を生む

　福祉事業所に通う身体・精神・知的障害者やひきこもり、自立を目指すホームレスの方々など、働く意欲があってもなかなか一般就労やアルバイトまでたどりつく機会をもてず、社会で自立して生きていくための「働く」選択肢が限られている人が多い。そんな現実を変えるため、PDIでは、障害者の新たな働くかたちを

提案している。工夫しているのは、「心のバリアフリーをクリエイティブに実現する」という考え方のもと、ワクワク・ドキドキするような "晴れ舞台" での仕事を用意することだ。スポーツや音楽などのエンターテイメントの領域で社会参画のきっかけとなる就労の体験をすることで、働く意欲を高め、一般就労やアルバイトへと結びつけている。

　はじまりは2012年、代表理事の須藤が代表を務める、ソーシャルプロジェクト／Nextidevolution（ネクスタイド・エヴォリューション）がJリーグのクラブ・横浜FCとオフィシャルソーシャルパートナーシップを締結したこと。横浜FCのホームグラウ

当時の横浜FCでの就労体験プロジェクトの様子。毎シーズン2〜3回の開催を7年間続け、試行錯誤を繰り返しながら、現在まで拡大展開を続けている。現在は、PDIがオフィシャルソーシャルパートナーに。

ンドのニッパツ三ツ沢球技場のある神奈川区や、当時のクラブハウス所在地の保土ケ谷区を中心とする福祉事業所で働く人たちを対象に、ホームゲーム時に、プログラム配布や清掃活動などの作業に従事するお仕事体験をコーディネイトするようになったのだ。参加する障害のある方々は、試合開始の2時間半前に集合し、一般のボランティアと一緒に試合終了まで働く。休憩時間にはスタンドで試合を観戦できることも参加者にとっては大きな楽しみだ。障害者が健常者と混ざり合いながら「楽しくカッコいい」仕事ができるこのモデル。こうした「オンステージ」では、障害者はこれまで招待される側だったが、ここではお客さんをもてなす側に回る。これまでの人生で人前に出る経験や一般の人と関わる経験が乏しかった人も、この体験を機に人前に出たことが自信となり、働く自信を得て一般就労を果たしていく。サッカースタジアムでの就労体験を機に病院の清掃職に就職したある参加者は、スタジアムで観客からゴミを受け取ったときに「ありがとう」と言われたことで、働く意欲が生まれたという。また、一般のボランティアと共に作業を行うため、人とコミュニケーションをとる大切さを実感したり、周囲のサポートを心強く感じて一般就労などに踏み出せたと言う声も多く寄せられる。

川崎市との取り組みで広がる
就労体験プロジェクト

　横浜FCでの取り組みを、同じくJリーグのクラブ・川崎フロンターレでも展開できないか相談したところ、うれしい広がりが実現した。ホームスタジアムである等々力陸上競技場が川崎市の施

設であるため、実施に前向きな姿勢を見せてくれた川崎フロンターレから、市とも一緒に取り組めるといい、というアドバイスをもらったのだ。その後すぐに市役所に出向き、障害者の就労に関わる健康福祉局で相談。対応してくれた方がピープルデザインの考え方に興味を示してくれ、当時の副市長と話す機会に恵まれた。ピープルデザインという新しい切り口に理解を示し、市としても取り組む意味を感じると言って頂き、2014年7月、多様な人々が混ざり合い、賑わいのあるダイバーシティ（多様性に寛容）なまちづくりの実現を目指し、川崎市と包括的な連携・協力協定を締結することとなった。その一環として「障害者の就労機会の創出」

普段はなかなか接することのない子供たちと、就労体験を通じて接することで、自然と笑顔や責任感が生まれていく。本人はもちろん、事業所の支援員さんやそのご家族にも、毎回新たな気づきが生まれる場となっている。

川崎フロンターレでの就労体験の様子。2015年からは全ホームゲームで実施しており、清掃や配布などの活動を行い、毎試合2万人以上のサポーターをお迎えしている。

PEOPLE
DESIGN
KAWASAKI

STAFF

を目指し、このモデルを川崎フロンターレに持ち込んだ。PDIは、当日ホームゲームで働く約100名のボランティアスタッフのうち、日本の全人口に占める障害者の割合と同じ約7％、すなわち約7人の就労枠のキャスティングする権利を預かった。こうして川崎フロンターレでの就労体験が実現した。川崎市内での就労体験は、まず、市が事前に市内の福祉事業所などに声をかけ、集まった参加者をPDIが受け入れる。当日は一緒にスタンドのシートを雑巾で拭いたり、来場者にチラシを配ったりして、会場の運営をサポートしている。事業所への声かけや、その取りまとめなどの事務

就労体験プロジェクトの運営費は、市からは50万円の補助金をいただいているが、それ以外は企業の皆様のご協賛により支えられている。2019年度はアルファ ロメオ（FCAジャパン株式会社）様、日建総業様にサポート頂いた。また、川崎フロンターレでの就労体験には、アマゾンジャパン合同会社様、株式会社 二葉様、第一冷蔵株式会社様、プーマジャパン株式会社様にご支援を頂いている。

作業を担う川崎市の職員さんたちがいなければ成立しない企画である。

　2015 〜 2017年度には川崎市イメージアップ事業（現・川崎市都市ブランド推進事業）に認定され、2019年度からは、文部科学省の「障害者の多様な学習活動を総合的に支援するための実践研究事業」として採択されている。川崎フロンターレ以外にも、Bリーグ・川崎ブレイブサンダースや地元企業とのコラボレーションによる就労体験を行い、一般就労をめざす障害のある方々を中心にスポーツや文化イベントなどでのお仕事を体験してもらっている。毎年全国から10万人以上を集める「カワサキ ハロウィン」というイベントでは、株式会社 チッタ エンタテイメント様の多大なるご協力により、キッズパレードやメインパレードの参加者や来場者のサポート・案内や、清掃活動も行なっている。2018年はパレード先頭の誘導係を、白杖をつく視覚障害の方が担ったことでも話題を呼んだ。また、川崎市の東扇島という工場地帯の公園で開催しているオールナイトのロックフェス「BAYCAMP」では、株式会社チッタワークス様と株式会社スティールストリート様の多大なるご協力により、就労体験を実施している。2018年度は55企画の就労体験を実施、延べ546名が就労体験に参加した。また、この参加者から53名が一般就職に結びついた。川崎市における、2014年7月〜 2019年3月までの延べ参加人数は2,349名、一般就労者数212名となり、着実に成果を上げている。

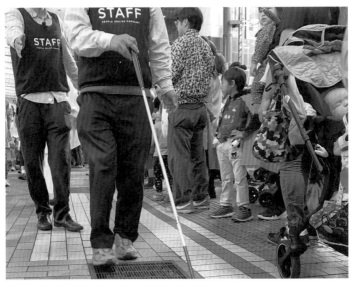

カワサキハロウィンの「キッズパレード」では、子供たちのパレードを障害のある方々が警備している。時には白杖を使用する視覚障害者の方も参加し、パレードの先頭に立ち露払いを行う。

ピープルデザイン研究所スタッフより

学生参加したイベントをきっかけに
就労体験の運営に関わるように

金子亜佐美（NPO法人ピープルデザイン研究所運営委員）

大学生のとき、将来まちづくりや福祉に関わるなら体験してお
くべきと思い、PDIのイベントにボランティアとして参加し始めま
した。誰でも参加できてドキドキ、ワクワクするイベントが純粋
に好きで、もっと広くたくさんの人に知ってほしいと思いました。
新卒で就職したアクセシブル・ラボというNPO法人に所属しな
がら、現在も、PDIの運営委員として、就労体験をはじめとす
るプロジェクトに携わっています。

サッカースタジアムでの就労体験を支える

鈴木 順さん

日本プロサッカーリーグ

いろんな個性が
組み合わさるからこそ面白い。
サッカーも社会も同じです

すずき・じゅん
公益社団法人日本プロサッカーリーグ
社会連携部長
2011年株式会社川崎フロンターレ入社。
2019年より現職。

サッカーチームのマインドで、まずはチャレンジ！

　私が須藤さんとお会いしたのは2014年の夏頃。ちょうど等々力陸上競技場のメインスタンドが改修中のときにお越しいただいて、仮設スタンドの隅の方でお話したのを覚えています（笑）。その時に就労体験の説明を受けたのですが、当時は障害者の方と一緒に業務を行う経験がなかったですし、正直、何をすればいいのかわからなかったですね。でも、我々はサッカークラブ。「チャレンジして、失敗して、またチャレンジする」を繰り返すマインドが会社としてあるので、ひとまずやってみましょうということで、その年は2試合で就労体験をお受けしました。2015年からは全試合で受け入れさせていただいています。

　就労体験はJリーグからも関心を寄せられていて、2018年には村井チェアマンにお越しいただき、実際に就労体験を見ていただきました。さらに村井チェアマンがテレビ出演された際にも、就労体験について発信していただいて。それを機に、他のクラブから「うちでもやってみたい」と声がかかってきています。そう遠くない将来、いろいろな地域でこの活動が広がっていくと思っています。

　「実際に就労体験を行って課題はないんですか？」という声も聞くのですが、本当にあまりないんですね。当日はピープルデザイン研究所の田中さんがいらっしゃって、きちんとオペレーションしていただきますし。あえて言うとすれば、いろいろな活動に参加されている障害者の方がいらっしゃるので、市内でイベントが重なるとこちらの就労体験の参加者が減ってしまうことでしょうか（笑）。それくらい、今では欠かせない労働力として参加し

ていただいています。

選手みんながゴールキーパーだったら？

　私は週末、仕事が休みのときは地元で少年サッカーのコーチを
しています。子どもたちを見ていると、背の高い子もいれば低い
子もいますし、ボールを上手に蹴られる子もいればそうでない子
もいます。きれいごとじゃなくて、いろいろな個性をもった子が
いる。就労体験を4年間続けていく中で、よりそう思うようにな
りました。

　私たちの試合に来てくださるボランティアさんたちは、高校生
から80歳ぐらいの方までいらっしゃいます。80歳の方はさすが
に20kgの重りを持ったり、テントを組んだりする作業はできま
せん。一方、就労体験にいらっしゃる若い方の中には、20kgの
重りを持てる方もいます。また、知的障害の方はひとつのことを
集中してやりとげる能力が高くて、みんなが飽きそうな座席清掃
も、もくもくとやってくださいます。そんなふうに、それぞれが
もっている能力を発揮しあっていけばいいんじゃないかと思って
います。

　サッカーだってそうです。みんながゴールキーパーだったら点
は入らないし、みんながストライカーだったらきっと守れない。
ポジションが11あって、チームに30人の選手がいて。それぞれ
が組み合わさるからこその面白さがある。社会でも同じことが言
えるんじゃないかと思います。そういう点でスポーツという場面
は、障害のある人もない人も混ざりやすい場なのかもしれません
ね。

等々力から生まれる、当たり前に混ざり合う社会

　試合があるときはいつも、100名前後のボランティアさんに来ていただくのですが、その方たちと就労体験の参加者のみなさんは、控え室も一緒です。同じ場所で机を囲んでお昼を食べたりすることについて、当初はボランティアさんたちも、知らないことに対する不安が少なからずあったんだろうなとは思いますが、もう4年間も経つと一緒にいるのが当たり前の光景になってきました。この感覚がボランティアさんたちから、やがて周りの人にも同じように伝わっていくことで、差別・区別する必要のない社会が川崎でできるんじゃないかなとすごく期待しています。

　試合に来られるサポーターの方たちも、彼らが障害者だなんて気づいていないし、気づいていたとしても、全然気にしていません。それくらい、等々力陸上競技場では当たり前の光景になっています。他にも川崎では、アメフトやバスケット、ハロウィンなどのイベントで、就労体験のみなさんがいることが当たり前の光景になっているなと思います。

　今後の課題としては、この活動に企業様についていただいて、他のアルバイトと同様に就労としてお金が出せるようなスキームをつくりたいと思っています。私たちのチームをサポートしていただくだけでなく、川崎を盛り上げていく同じ仲間として、こうした活動にもご協賛いただいて、雇用も働きかけていきたい。1社でも2社でもそういった企業、仲間を増やしていけたらなと思っています。

※2019年2月、川崎市麻生市民館で行なわれた講演をもとに構成

就労体験を川崎市に取り入れた

平井恭順さん

川崎市　障害者雇用・就労推進課

「顔の見える信頼関係」を築くこと。
共同事業が継続・発展するキモは
そこにあります

ひらい・やすゆき
川崎市健康福祉局障害保健福祉部
障害者雇用・就労推進課　係長＊
2016年、生活保護・自立支援室の担当から
障害者雇用・就労推進課の担当に。
（＊2019年度時点）

柔軟な発想力で
今までにない就労体験を

　2014年から始めた就労体験ですが、最初の1、2年目くらいは、課に所属する職員が全員参加で取り組んでいました。みんなで分担しながら、全部の企画に参加して。当初は全企画が土日実施だったので大変さもありましたが、充実していましたね。2016年頃からは、企画・運営・現場はピープルデザイン研究所が、事務作業は川崎市が行うというように業務分担していきました。

　ピープルデザインさんは、何事も「まずはチャレンジしてみましょう」というモットー。例えば視覚障害者の方だと、屋外での作業系の実習や就労体験はなかなかやれないと思うんです。でも、ピープルデザインさんは受け入れてくれる。そして、その姿勢を事業所の職員さんたちも知ってくれているんですね。だから、「この企画、参加できますか？」と聞いてくれる。そこでNOと言ってしまうと、別のケースでも「あのときダメだったから」と自粛されがちなのですが、ここではYESと言われることの方が多いと、みなさん知ってくれているんです。

　野外ロックフェスで就労体験をすると聞いたときも、最初はびっくりしました。炎天下の中、音の大きい場所で就労体験をやろうというのは、福祉側・行政側にはなかなかない発想だと思います。そういった突破力がすごいなと感じますね。もちろん当日は、テントも水分も熱中症対策品も、ピープルデザインさんが丁寧に用意してくれました。今ではすっかり夏の恒例行事になって、参加者のみなさんも、年に1回の思い出づくりと楽しみにしてくれています。

毎年夏に行われる、オールナイトロックフェス「BAYCAMP」での就労体験の様子。早朝から夜遅くまで、多い時は50名以上の障害者が、ゴミステーションを中心に運営スタッフとして働く。この時は川崎市長とグリーンバード川崎チームとともに、ステージ上から「日本一クリーンなロックフェス」を呼びかけた。

新しい就労層の掘り起こしにもつながる

　就労体験を開始した当初は、就労移行支援の方たちが多く参加されていました。それが徐々に減っていき、就労移行支援に行く前段階の方が増えてきて。そこで、2016年頃から、社会的引きこもりと呼ばれる方たちや元ホームレスの方、生活保護を受けている方にも声をかけていくようにしました。途中から、社会参加に向けた訓練の場、という意味合いも出てきたイメージがありますね。こうして参加者層が広がっていったことによって、参加者の数も増えましたし、作業の選択肢も広げていくことができました。

　就労体験には、事業所の職員さんにも原則として参加していただいています。当日は、ピープルデザインさんが職員さんに作業内容を説明して、職員さんから利用者さんに細かい指示を出す、というふうに工夫したことで、運営的にもやりやすくなりました。また、職員の方が利用者さんの得意・不得意にも気づける機会になっているようです。例えば、ひきこもりの方が周りのスタッフに影響されて大きな声で挨拶する姿を見て、「グループ活動や就職といった次のステップに進めるんじゃないか」と気づけたり。

　就労援助センターという、就労相談を受ける場から参加してくれる方たちも増えてきましたね。就労体験が、新しい就労層の掘り起こし、就労支援ツールのひとつにつながっていると感じます。

行政、地域、NPOの三者で築く信頼関係

　私が所属しているのは「障害者雇用・就労推進課」という課で

すが、雇用就労のための課を単独でもっている市や区というのは
あまり聞いたことがありません。多くは「係」止まりではないで
しょうか。実は川崎市も、2013年度までは「障害計画課」とい
う課の一係だったんです。現在の課が立ち上がったときに、ちょ
うどピープルデザインさんが就労体験の企画をもってきてくれて。
タイミングもよかったんですね。「係」時代だったら、この規模
の就労体験は難しかったのではないかと思います。

　現在行っている就労体験は、川崎市とピープルデザイン研究所
の協働事業ですが、地域の支援機関との協働事業でもあると私は
思っているんです。三者のうち、どこかが欠けても成り立たない。
みんなで役割分担をして続けられている事業なんです。

　自治体と支援機関の風通しは、とても重要だと考えています。
本市の担当者は、頻繁にいろいろな支援機関と定期的に集まりを
もって、意見交換をしています。この信頼関係ができていないと
ころで始めても、なかなかうまくいかないのではないでしょうか。
「顔の見える関係」を築けているからこそ、うまく続いているの
だと感じています。

project
02

1日15分からの
新しい働き方
「超短時間雇用モデル」

障害者

LGBTQ

子育て中
の父母

高齢者

外国人

×

シゴト
づくり

ヒト
づくり

コト
づくり

モノ
づくり

制度の狭間 "週20時間の壁" を壊す
新しいモデル

　前のページでご紹介した「就労体験プロジェクト」以外にも、障害者就労の新たな選択肢のひとつとしてPDIが取り組んでいることがある。それが「超短時間雇用モデル」だ。

　障害者雇用の現場で言われる「週20時間の壁」をご存知だろうか？　障害者雇用促進法では、45.5人以上の従業員がいる事業主は、全従業員のうち2.2%以上が障害のある従業員であるよう義務づけられている。週30時間以上働く人を現行の制度では「1人」とカウントされ、20時間以上30時間未満の勤務では、障害の度合いにもよるが、「0.5人」としてカウントされる。そのため企業はもちろんのこと、週30時間以上働ける障害者を優先的に雇用しようとし、求められる人は週20時間以上働く人に限られる。

　しかし、考えてみてほしいが障害者手帳を持つ約590万人のうち、どれほどの方がその週20時間以上の長時間の労働に耐えることができるのだろうか。心身の調子の変動が大きく、疲労や体力面での制限があり、週20時間以上働くことのできない障害者の多くは、労働市場からの撤退を迫られるか、多くの不安を抱えながら週20時間以上の労働を余儀なくされるかの二択を迫られているのが現状なのだ。

　一方、企業では障害のある方々を雇用しているものの、特例子会社などの別の場所で分かれて働くことになっているケースが多く、企業で働いている人々の多くは、障害のある方と共に働くイメージを持っていないとも言える。あるいは現行の制度下、障害のある方々を雇用している企業は、労働時間数ありきで業務を考

え、その職場が必要としている業務量以上に新たに仕事を作り出す必要性に追われたり、細切れに複数の仕事をつなぎ合わせて労働時間数を埋めたりという、余計な負担感を生じさせる業務が発生している。

　こうした状況の打開策として東京大学先端科学技術研究センターの近藤武夫准教授によって提唱されたのが「超短時間雇用モデル」と呼ばれる最短で1日15分からの労働でも報酬を得られる雇用モデルだ。このモデルの最大の特徴は、週20時間労働の枠に縛られない、短時間しか働けなくても、働く意欲があり、業務の遂行にも問題のない障害のある方と、この仕事をしてもらえる人が来てくれたら助かるという企業のニーズがマッチし、本人の特性に合わせて短い時間から就労できることだ。

　超短時間雇用モデルではまず、企業の中で週あたり数十分や数時間からの非常に短い時間からでも働ける仕事、あるいは、これまで手の届いていなかった、担ってもらえると助かる仕事を整理し、職務を生み出す。次に、あらかじめはっきりとした職務を定義した上で、その職務を遂行できる方、かつ障害のある方を雇用する。また、短い労働時間数を企業グループ全体や自治体全体でまとめ、30時間雇用換算で何名分の雇用を創出できたかという「積算型雇用率」を独自に算出している。複数名の就労者の合計就労時間が週20時間を超え、0.5人、1人とカウントすることで「週あたり1人30時間」の発想から脱却し、複数名で「週30時間」を実現するという仕組みだ。

　そうすることで、これまで企業で働く機会が得られず、本来の能力を発揮する場を得ることができなかった障害のある方々が自信を持って働き、障害のある方と働くことのなかった人も同じ職

場でともに働きながら、これまで非効率化をもたらしていた業務を切り離し、超短時間の労働者に任せることで、自分の果たすべき本業に集中し、生産性を向上できるようになるのだ。

　ここで大切なのは、超短時間かつ有用な職務を企業内に生み出すことをバックアップする仕組みや、そうして生み出された仕事に対して、これまで働くことが難しかった人々を接続する仕組み、法定雇用率に替わる積算方雇用率の導入、そして、職務がなくなった後の別の企業で働くことができるように流動を支える機能など、産学官が連携しあいながら、地域の中で実装していくことが求められているということだ。

渋谷区の超短時間雇用

　現在、渋谷区でも、超短時間雇用のしくみ構築に向けた取り組みが始まっている。

　既存の知見やノウハウの提供、プロジェクト進行管理や指南、定量化／発表・共有は、このモデルを提唱する東京大学先端科学技術研究センターの近藤武夫准教授。プロジェクトのシステムデザインから、区民広報企画や在区団体、企業への説明業務といった庁内、区内施策の企画立案、運営指南を担当するPDI。就労支援を行う福祉事業所と関係各者、企業との接続、就労に向けた調整や職場での適応支援を行うなどの、中間支援事業者の役割を担うのは、マイノリティが抱える不自由や社会問題をソーシャルビジネスで解決するベンチャー企業の株式会社ゼネラルパートナーズ。渋谷区を中心に、関係者を有機的に結びつける連携体制を構築し、このモデルの導入後、思うようにいかないときのフォロー

は、私たちや近藤先生のチームで行なうという形で、準備を進め
ている。

　私たちがこのモデルについて企業に紹介するとき、「この取り
組みを同情的CSRとして見ないでください」と伝えている。「障
害者のための仕事」を見つけようという発想ではなく、「誰かが
代わりに担ってくれると助かる仕事、会社にとって必要な業務」
を整理していただく、という視点を持ってもらうのだ。

　超短時間雇用モデルは経済的な視点を持つため、企業としては
従業員が集中して働き、本業の生産性をより高めるために利用で
きる。障害のある方々にどんな業務ができるかという点について
は、私たちの方でノウハウがあるので、企業の業務内容を聞いて
マッチングさせることが可能だ。

　ここからは、渋谷区内での試行的な取り組みの実例を紹介しよ
う。
これまで渋谷区内では、コンビニ、銭湯、TV収録現場、花屋、
そば屋、商店街など、様々な職種で超短時間での雇用が行われて
いる。コンビニでの業務では、棚卸の業務をお願いし、何ができ
るの？と懐疑的だった従業員も、一緒に働いていくうちにその心
境に変化が見られた。「普段気になっているけど手が付けられな
いことをやってもらえるのはとても良い！助かる」といった感想
や、「教えた通りにまっすぐにやる姿を見て、自分たちのなあな
あになっていた心無い部分、接客の基本を再認識した」という声
があがった。

　また銭湯では、週1回2時間、桶とイスを洗っていただく超短
時間の労働を実践している。銭湯は10時に出勤、14時に開けて
夜中の1時半に閉めて、掃除して朝4時に寝る、というように勤

超短時間雇用モデル（東京大学先端科学研究センター）

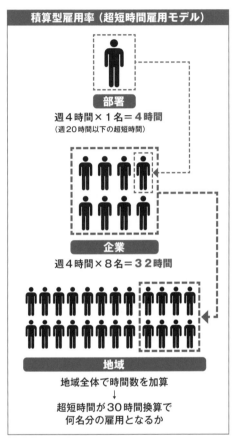

積算型雇用率（超短時間雇用モデル）

部署
週4時間×1名＝4時間
（週20時間以下の超短時間）

企業
週4時間×8名＝32時間

地域
地域全体で時間数を加算
↓
超短時間が30時間換算で
何名分の雇用となるか

既存モデル

部署
週30時間×1名
＝30時間

超短時間雇用モデルの要件	1. 採用前に職務内容を明確に定義しておく 2. 定義された特定の職務で、超短時間から働く 3. 職務遂行に本質的に必要なこと以外は求めない 4. 同じ職場でともに働く 5. 超短時間雇用を創出する地域システムがある 6. 積算型雇用率を独自に算出する

PDIでも川崎市や渋谷区で超短時間雇用を行っている。川崎市で雇用した方は、就労体験と超短時間雇用の経験を経て、就労移行支援A型事業所へと就労した。

川崎市での超短時間雇用モデル実装例

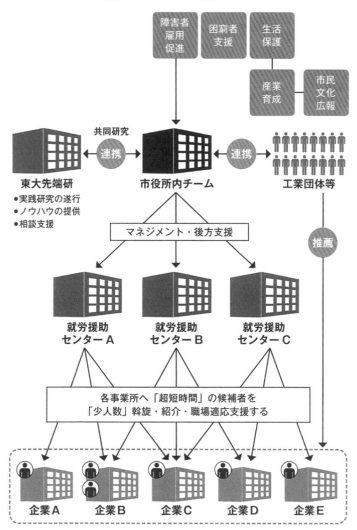

※障害者雇用義務のない小規模な企業が主な対象、各企業では若干名が超短時間で働く

※p52・53の図は以下より抜粋したものを著者の許諾を得て一部改変したもの。『やさしい雇用への
アプローチ』p103、113　編著者／川崎市（健康福祉局 障害保健福祉部 障害者雇用・就労推進課）
監修／東京大学先端科学技術研究センター・准教授 近藤武夫

務する時間が長いため、その中でちょっとした時間ができるのは大きいと言う。

　障害のある方自身にとって「自分の住む地域で働いている」ということはプライドとなり、自信へとつながる。福祉作業所の施設長は、超短時間の労働に参加した利用者が時給1,000円の給与を貰い働けるようになることに対して驚いているし、お母さんもすごく喜んでいるため、一般就労をあきらめかけていた障害のある方やその保護者にとって、希望の光になるモデルとなるはずだ。

　産学官連携による超短時間雇用モデルが目指すのは、企業一社が一人の障害者を長期的に雇用して生活を保障し続ける従来型のモデルではない。同じ場所で働き続けることが難しくなった時や企業内で職務がなくなった後は、地域内の超短時間で障害ある方

渋谷区内の超短時間雇用の様子。区内の精神障害者の方が1日2時間、銭湯で清掃を行っている。

を雇用したいと考える別の企業とつなぎ、そこでこれまでのキャリアを活かして新しい働く機会をつくる。つまり、地域の中でジョブ型雇用のモデルを形成するということだ。

　社会参画に向けての就労に関わるプロジェクトをPDIでは並行して遂行しているが、前記の「就労体験プロジェクト」が社会参画のきっかけとなり就労へとつながる一歩となるのであれば、「超短時間雇用モデル」はより具体的かつ実践的に、一般就労に向けてのアクセルを加速させるイメージに近いと言えるだろう。

　多様な人々がともに働き、障害のある方もありのままの自分として、企業に、そして社会に歓迎される超短時間雇用モデル。自分に適した形から社会的役割を得ることができる、このモデルの実装のため、PDIは今後も力を入れて取り組んでいく。

超短時間雇用モデルを創設した
近藤武夫さん
東京大学准教授

新しい地域システムで
幸せに働いている人がひとりでもいる。
このリアリティの共有が欠かせません

こんどう・たけお
東京大学先端科学技術研究センター人間支援工学分野　准教授
博士（心理学）。DO-IT Japanディレクター。川崎市をはじめ、神戸
市やソフトバンクでも超短時間雇用システムの構築を行う。監修・著書
に「発達障害の子を育てる本 スマホ・タブレット活用編」（講談社）など。

「あやしい」けど、意気投合

須藤　先生と最初にお会いしたのは、2015年頃。川崎市の雇用に関するシンポジウムでしたね。でも実はその前に、川崎市の方から「私が出向している東大の先生の部屋に、須藤さんの本がありましたよ」[※1]って聞いていて。えっ、あんなエッセイを読んでる東大の先生いるの？って感激しちゃって（笑）。

近藤　僕は「DO-IT Japan」という障害をもつ子どもたちの人材育成プログラムに携わっているのですが、そこで育った子どもたちが働くところがないということに課題を感じていて。当時は、何か新しい雇用の仕組みをつくらないといけないって試行錯誤していた時期だったんですね。だから、雇用関係の活動をされている方の本を読みまくっていたんです。須藤さんに実際に会ったときの第一印象は…なんか……あやしい人だなって（笑）。大体みんなそう言うんじゃないですか？（笑）

須藤　100%そう言われる（笑）。

近藤　でも、お話は本で読んでいてなるほどと思うことばかりだったので、普通に意気投合して。

須藤　下北かなんかの飲み屋に行きましたもんね。

近藤　行きましたね！それで須藤さんがお酒飲めないって知って、意外ですねみたいな話をしました（笑）。あと、共通の知り合いが多いことがわかったんですよね。僕が育った長崎県で、僕の後輩が市長をしているんだけど、彼からも「須藤さんって知ってます？」と言われて。どこまで顔広いんだろうって思いましたよ。

※1… 『意識をデザインする仕事』CCC／旧阪神コミュニケーションズ

課題解決のヒントは「現場」にあり

近藤　最初にお会いしたシンポジウムで、須藤さんが「いろんな人が働ける川崎をつくろう」と言われていて。こんな気概のある方がいるんだったらぜひご一緒したいと思っていたら、2017年に川崎市の「短時間雇用創出プロジェクト」が始まりました。市内のシステムづくりは僕らが川崎市役所の方々とともに担っていましたが、いろいろな調整事などは、最初、須藤さんたちにエンジンになっていただきました。実働で僕らが準備やシステム構築に関わったのは1年半とちょっとですね。システムが動き出して20社程の仕事を生み出すまでは、半年くらいずーっと川崎に出入りしていました。

須藤　先生に20数社回っていただいて。イベント業者さんからカレー屋さんからビルメンテナンス会社まで、いろいろありましたよね。

近藤　新しいモデルをどこでどうスタートするかって、けっこう難しいんですよね。最初、えいやって背中を押してくれるキーパーソンになる人が重要。それはもう須藤さんしかいないみたいな感じでした。企業の発掘という面でもアドバイスをいただいたし。

須藤　それは言い過ぎですけどね。近藤先生は考えて研究するというのはもちろん、本当に足と体を使われているので。僕は小売出身だから、そのリアリティってすごくリスペクトするところなんですよ。

近藤　特に僕らのような領域は、いわゆる生データが現場にしかないので、そこに行くしかないんです。リアリティのない中で考えたことっていうのは、どうしても成功しないですね。

須藤　企業の新規事業も、未来のあれやこれやも、みんな同じですよね、きっと。

近藤　そうですね。自分で現場の中に入って、そこにどんな仕組みが動いているのかが理解できれば、どこにどうアプローチすればいいのかがわかります。川崎で多くの企業をまわったのは楽しかったですよ。各社で仕事をつくる仕組みづくりを行ったあとは、システムをキープするために市がどう動いていけばいいか、今後の財源をどうつくっていくか、翌年検討して。そこから東大チームは、ときどきアドバイスするくらいでしたね。

ケースが見えると、心が動く

須藤　行政って、福祉と経済の部署でわかれていて。いい・悪いは別として、習慣として縦割りなんですよね。そこに近藤先生が入って橋渡しされた。

近藤　僕からも、部局横断でチームを作ってくださいとオーダーするようにしています。例えば、市内の工業団体と連合して参加企業を募集するスキームをつくるためには、福祉と援護に詳しい人はもちろん、他にも検討に加わってほしい部署がある。ただ、それを実現するためにはいろいろな調整が必要なんですよね。そこを須藤さんがプッシュしてくれたかったのがありがたかったですね。なんでそんな力があるのかわからないけど（笑）。

須藤　それはやはり、川崎市さんの場合は、PDIと包括協定を結んでくださっていますからね。市長自ら、庁内に横断組織をつくって運営していくというステートメントをしてくださっています。そういう意味では、川崎市さんは非常に実現に向けてご努力いた

PDIでも渋谷区や川崎市で超短時間雇用を行っている。川崎市では、就労体験に参加した方の中から超短時間雇用へとステップアップした方もいる。

だきましたよね。

近藤　会合にも、障害者雇用促進チームの方たちだけでなく、困窮や生活保護チーム、産業育成チームや広報チームの方たちが毎回参加してくださっていましたしね。そして、実際にあったケースを見てくれて。プロジェクトをどこかの自治体で開始するときはどこでもそうなんですが、超短時間雇用というモデルでこういうプランが描けますと僕がいくら説明しても、当然ですが最初はなかなか信じてもらえないんですよ。川崎市の場合は、須藤さんが最初から応援してくれていたので多少の安心感はありましたけど。

須藤　でも近藤先生はこういう優しいお人柄だから。僕はもうちょっと喧嘩腰なんですよ、最初から（笑）。

近藤　システムが動き出して実際のケースを見てもらえると、みなさんの反応も変わってくるんですけどね。そこで働いて本当に幸せになった人がひとりでもいるということを目の当たりにすると、だんだんのめりこんでくださるし、うまく進んでいく。やっぱり人間の心って、理屈だけは動かないところがあるんですよね。ケースの共有を丹念にしてくださった川崎市内のみなさん、中でも企業訪問や市内システム化の実現のため、いろいろと調整してくださった担当の職員さんの存在は本当にありがたかったですね。

働き方を地域単位でつくるために

須藤　近藤先生の超短時間雇用モデルの要は、新しさですね。既存の制度では抜けていたところに、具体的なメソッドがはまった。それに加えて川崎市の方々のご努力のおかげで実現したシステムだと思っています。

近藤 働くことって最終的には、雇用者の方が「雇おう」と思うかどうかなんですよね、どんな人であっても。僕たちはそこをバックアップしていく。そのためにはマクロの仕組みも必要ですし、ミクロの部分で具体的に、「じゃあ明日からこの人が来ることになったら、どうすればいいの？」というところに応える仕組みを作る。その仕組みづくりを職場だけでやってもその場限りで終わってしまうので、社内とは別に応援する人がいる。じゃあその機能をどこにもたせるか。そんなふうに課題を一個一個潰してできあがったのが、この超短時間雇用モデルなんです。企業がそれぞれがんばるという問題ではなく、地域で働き方を作っていくことを目指しているんです。まだまだ課題はありますが、研究者としては課題が見える方が面白いので、これからも続けていきたいですね。

ピープルデザイン研究所スタッフより

大学を休学してPDIのメンバーに 超短時間雇用モデルでも活動中
鳥羽和輝（慶應義塾大学 総合政策学部）

ダウン症の弟の兄として、社会課題の解決に興味を持ち、「人と人とが繋がり、誰もが心豊かに暮らすまちづくり」をテーマに様々な活動に取り組んでいます。大きな転機は2016年の超福祉展との出会い。超福祉展の運営ボランティアを経て、2019年度は大学を休学。PDIの運営委員として複数プロジェクトの企画立案から当日運営までを手掛け、日々奮闘しています。社会課題を解決し続けるため、PDIで学んだことを胸にこれからも走り続けます。

国内外の次世代の
大学生が挑んだ
「認知症国際交流
プロジェクト」

障害者

LGBTQ

子育て中の父母

高齢者

外国人

×

シゴトづくり

ヒトづくり

コトづくり

モノづくり

国内外・4大学の次世代を担う若者たちが
認知症の課題解決に挑む！

　家族の顔を忘れてしまう。ふらっと家を出て徘徊してしまう。外出中に自分の居場所がわからなくなる。2012年度時点で、こうした認知症の人は日本全国に460万人以上。65歳以上の高齢者の7人に1人を占めており、2025年には700万人を超え、5人に1人を占めるとの推計もある。[※1]

　誰もが認知症当事者になる可能性や、家族に認知症患者を抱える可能性があり、地域ぐるみで認知症の人を見守る仕組みづくりは、私たち全員の課題だ。

　そこで、「ピープルデザイン」の発想を活かし、認知症患者を「病人」として社会から「分ける」のではなく、「共存共生」する道を探ったのが、自治体と国内外の大学生と行なった共同開発プロジェクト「認知症国際交流プロジェクト」である。

　この研究に参加したのは、一般社団法人認知症フレンドリージャパン・イニシアチブ、株式会社富士通ソーシアルサイエンスラボラトリ、株式会社日本パーカーライジング広島工場、エーザイ株式会社、国際交流基金、そして日本の3大学（青山学院大学・慶應義塾大学・専修大学）と、オランダのデルフト工科大学の大学生・大学院生たち。プロジェクトの目的は、認知症当事者や家族にとっての課題を把握し、解決策のアイデアを提示することだ。大学にはこのプロジェクトへの参加を、所属するゼミ、または授業の一貫として行なってもらった。

※1…内閣府「平成29年版高齢社会白書」

　プロジェクトは、2016年から2017年（日本では2018年2月）まで行なわれた。1年目は、学生たちがグループホームなどに出向き、認知症患者やその家族と直接対話する。その中で各自が感じた問題点をピックアップして、解決に向けたコンセプトを絞り込み、解決策としての製品やサービス、政策提言を起案する。単なるアイデアにとどまらせるのではなく、2年目には自治体と連携して社会で実装に向けた実験を行ない、その成果を日本とオランダの両国で発表した。

　実験を引き受けてくれる自治体には、これまでPDIとタッグを組んできた川崎市と渋谷区が名乗りを上げてくれた。今はまだ両自治体でアイデアを試している段階だが、実験結果によって得られたロールモデルは、2018年11月に渋谷ヒカリエで行なわれた超福祉展を皮切りに発信され、日本の地方都市や世界に向けて無償で公開されている。

大学×自治体×企業×NPOの
コラボレーション！

　このプロジェクトのロールモデルとしたのは、欧米では常態的に活用されているデザイン思考のメソッドだ。

　国際連携をしてくれたデルフト工科大学Design Unitedでは、PDIの代表理事・須藤がリサーチフェローを勤めており、大学や大学院の授業で度々「ピープルデザイン」が活用されている。当校のデザイン工学部で学ぶ生徒たちは、リサーチに裏づけされた研究を経て課題解決をしていく力を習得中で、実際に世界の企業が彼らの知見を求めて日々やってくるほどだ。

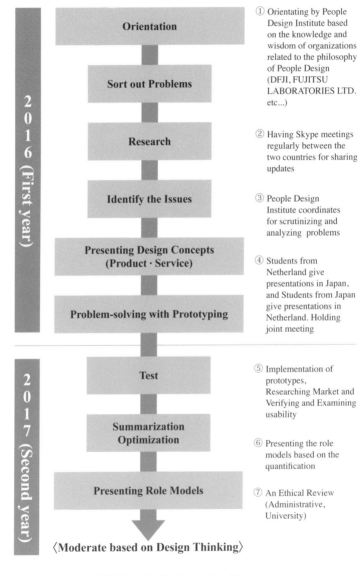

2016 (First year)	**Orientation**	① Orientating by People Design Institute based on the knowledge and wisdom of organizations related to the philosophy of People Design (DFJI, FUJITSU LABORATORIES LTD. etc...)
	Sort out Problems	
	Research	② Having Skype meetings regularly between the two countries for sharing updates
	Identify the Issues	③ People Design Institute coordinates for scrutinizing and analyzing problems
	Presenting Design Concepts (Product · Service)	④ Students from Netherland give presentations in Japan, and Students from Japan give presentations in Netherland. Holding joint meeting
	Problem-solving with Prototyping	
2017 (Second year)	**Test**	⑤ Implementation of prototypes, Researching Market and Verifying and Examining usability
	Summarization Optimization	⑥ Presenting the role models based on the quantification
	Presenting Role Models	⑦ An Ethical Review (Administrative, University)

〈Moderate based on Design Thinking〉

デザイン思考のメソッドを取り入れた、当プロジェクトのプラン。

デルフト工科大学にて。代表理事の須藤が毎年「ピープルデザイン」を切り口にしたプロジェクトや授業を行っている。

　私たちのプロジェクトについて、渋谷区の福祉部高齢者福祉課担当者は「行政職員だけではわからない、新たなニーズを把握するきっかけにしたい」と言ってくれた。若者ならではの自由な発想と知見とをもって、認知症という社会が抱える課題の解決に向かっていくことしたのである。

　まず最初に行ったのは、連携を引き受けてくれた川崎市と渋谷区から、認知症についての行政課題を提示してもらうこと。上がってきた課題は、「徘徊を防ぐには、早期に発見・保護する」「認知症患者の家族の心理的・身体的負担を軽くする」「本人・家族が働くには、介護離職を防ぐ」「地域ネットワークの形成（行政・

参加企業・団体のサポートで日本の学生もオランダに出向き、数日に渡り両国学生による
プレゼンテーションが行われた。

住民・ボランティア・民間企業)」などである。

　次に学生たちが認知症患者が過ごすグループホームを訪れる。これらの課題を、自分の身をもって実感するためだ。それと平行して、普段、認知症患者やその家族と接している人を講師に呼んで勉強会を開催したり、認知症サポーター養成講座に参加し、認知症に対する理解や患者への接し方を学んだ。また、定期的にSkypeで国際ミーティングを開き、互いの意見を交換し合う機会も大切にした。

　フィールドワークを十分に行ったところで、いよいよ実践だ。これまでの経験をもとに、「こんなサービスやケアを行なえば、認知症の人ともっと共生できるのではないか」というアイデアを出し、サービスや製品を企画・提案していく。そして2017年11月、

デルフト工科大学の学生も来日し、超福祉展にて各大学の学生によるプロダクトアイデアの発表を行った。実際に上がったものを以下に列挙しよう。

●朝夕の歯磨きのときに灯りがつく歯ブラシフォルダー。認知症の進行によって時間の認知能力が低下することをサポートする。
●外出中に身に着けるアクセサリー。居場所がわからなくなったとき、家族に発信できる。
●3Dプリンターを使った、大学生と認知症患者の交流イベント。季節行事の装飾品を一緒に作るなどの交流を通じて、認知症に対する知識の普及・啓発につなげる。
●認知症高齢者にとって理想的なケアプランを自動作成できるツールの開発。ケアマネジャー個人の経験・力量に関わらず、効果的なケアプランを作成できる。

　今回のプロジェクト進行中に実現できたアイデアもある。2016年10月に、業務用スキャナー大手の株式会社PFUと専修大学、川崎市がコラボして行なったイベントがそれだ。
　地域の高齢者に呼びかけて、川崎市の昔の写真を提供してもらい、それをPFUの技術でもって現在の地図に重ね合わせる。認知症を患っている人でも、自分の子どものころの記憶は鮮明というケースは多い。思い出話を通じて若者と触れ合うことで生活にハリが出るし、大学生にとっても、認知症を理解できるきっかけとなった。

project
04

市民自らが解決策を考える
「みやまえ子育て応援だん」

障害者

LGBTQ

子育て中
の父母

×

高齢者

外国人

シゴト
づくり

ヒト
づくり

コト
づくり

モノ
づくり

期間限定のマイノリティのために
子育て支援を考える

　「みやまえ子育て応援だん」は、地元である川崎市宮前区で子育てしやすいまちづくりを市民自らが考え、実践する市民グループだ。「子育てにやさしい街の空気」をつくるため、市民と区周辺の店舗、企業、施設をつなぎながら、さまざまな子育て支援企画を実施している。「区民自身が考える」「知恵と親切を交換して市民と企業・団体の双方にメリットがある」ことが活動コンセプトだ。私たちは、従来型の困りごとを行政にクレームをつけるだけではなく、地域の主体者として、解決に向けて動くあり様を示していきたいと考えていた。義務や権利といったものとは別次元で、ワクワク楽しみながら。

　「みやまえ子育て応援だん」の活動メンバーは、宮前区が企画した連続講座「ピープルデザイン未来塾＠宮前区」の参加者たち。子育て支援に関心がある人を募集したところ、区内外から24人のメンバーが集まった。スタート時点での講師は、宮前区に長年住んでいるPDI代表理事・須藤シンジと、子育て中のママでもあるPDI運営委員の渡部郁子。「妊娠中や子育て中の保護者も、期間限定のマイノリティである」という考えのもと、講座を開いた。

　子育て支援として、自分たちができることは何だろう？とメンバーが各自の視点から知恵を出し合った結果、親子連れにやさしい施設の情報を可視化することにした。具体的には、「ベビーカーで立ち寄れる」「粉ミルクのお湯を提供できる」など、子育てを応援する気持ちや、サポートするサービス・商品などを提供できる施設や企業に、それぞれの支援内容を書いたオリジナルのス

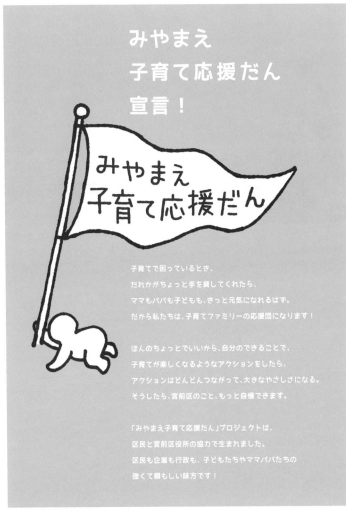

みやまえ
子育て応援だん
宣言！

みやまえ
子育て応援だん

子育てで困っているとき、
だれかがちょっと手を貸してくれたら、
ママもパパも子どもも、きっと元気になれるはず。
だから私たちは、子育てファミリーの応援団になります！

ほんのちょっとでいいから、自分のできることで、
子育てが楽しくなるようなアクションをしたら、
アクションはどんどんつながって、大きなやさしさになる。
そうしたら、宮前区のこと、もっと自慢できます。

「みやまえ子育て応援だん」プロジェクトは、
区民と宮前区役所の協力で生まれました。
区民も企業も行政も、子どもたちやママパパたちの
強くて頼もしい味方です！

みやまえ子育て応援だんのポスターをデザインしたのは、参加者の中の1人。集まるメンバー
1人1人が得意分野を活かして活動している。

弊社発足以来、多大なるご支援をいただいている、アルファ ロメオ（FCA ジャパン株式会社）様。その宮前区内のディーラーである株式会社アクセル様が参加第 1 号になった。
※ 写真は 2016 年当時のもので、2020 年現在の店舗名は【フィアット / アバルト東名川崎】

テッカーを掲示してもらったのだ。

情報集めも企画立案もプレゼンも すべて自分たちで

　「ピープルデザイン未来塾＠宮前区」の第1回講座が開催されたのは、2015年6月。集まったメンバーたちで子育てにまつわる問題や必要なサービスを洗い出し、解決策を出し合うなかで、「みやまえ子育て応援だん」のプロジェクトが生まれた。

　子連れで気軽に入れる、母親がリフレッシュできるという視点

でメンバーが区内の店舗や施設を探し、協力してくれる店舗や企業をリストアップ。口コミ情報をもとに探したり、飛び込み営業で協力を募っていった末、「赤ちゃん連れで行ける整骨院」「障害児も楽しめるアート教室」といった情報が集まっていった。

　子育て中の母親たちを中心とする「応援だん」メンバーは、このプロジェクトのプランナーであり、営業担当でもある。企業などへの提案書の作成も、プレゼンテーションも、もちろんメンバーたちで行なった。プレゼンテーションでは、「双方にメリットがある」という活動コンセプトにのっとって、協力してくれる店舗や企業の本業に貢献できることをアピールした。例えば集客力を上げるため、カタログ制作や折り込みチラシにコストをかけている店舗に対しては、「子育て中の親は、今まで立ち寄ったことがない場所でも、子育てにおいてメリットとなる店舗情報を私たちがSNSで訴求することで、訪れるきっかけになります。親子が自然と来店する機会が増え、売上アップにつながる可能性があります。」というようなプレゼンテーションを行なっていった。店舗側からすれば、例えば「おむつ交換ができるトイレがある」など、「今できる範囲のこと」あるいは「今あるサービスや設備」を宣言するだけでよいので、新たなコストをかけずに売上を上げるチャンスを得られるのだ。

　子育て支援提供の意向を示してくれた店舗や施設には、「応援だん」が作成したオリジナルのステッカーを掲示してもらった。このステッカーには、「ベビーカーでお入りください」など、その施設が支援できる内容を書き込む欄がある。「ショールームを休憩所に使ってください」「小さなお子さま連れの来店、大歓迎！」。こうしたメッセージは店舗や施設の担当者自らが書いて

子育ての場を考えるワークショップの様子。話し合いの中からアイデアが生まれる。

いる。この手書き文字があたたかみを生み出し、子育て世代にやさしい街の空気づくりに一役買っている。ステッカーには何度でも繰り返し貼ってはがせる紙を使用しており、これは多摩区の企業が提供してくれた。赤ちゃんが「みやまえ子育て応援だん」の旗をもっているステッカーのロゴイラストは、地元住民でありイラストレーターでもあるメンバーによるものだ。

　メンバーが宮前区内の店舗や企業に一箇所ずつ働きかけた結果、美容院や自動車販売店、コンビニ、33の店舗や企業、施設からサポートを受けられることになった。メンバーたちの地道な働きかけによって協力先は年々増えており、2019年7月現在、計80箇所以上にのぼっている。協力店舗や企業は「みやまえ子育て応援だん」のFacebookページで紹介している。身近な地域資源を

掘り起こし、ステッカーを通してまちの中にある子育て支援を可視化することで、地域の子育て支援の輪が広がっていく。そして地元経済を活性化しつつ、地域のつながりを深め、広げていっている。

育児中の母親向けの
リフレッシュパーティーも企画

地域の交流スペースを活動拠点に、月に一度の定例会を開いている「応援だん」。子育て中の父親、母親だけでなく、子育てを終えて地域の見守り役を担う中高年も集まっており、街のさまざまな人々が立場や世代を超えて、つながるきっかけになっている。

2016年4月に本格スタートした「応援だん」は、順調に活動を進め、東京大学が主催する市民参加型の地域課題解決アイデアコンテスト「チャレンジ！！オープンガバナンス2016」では、アイデア賞とハーバード大学ケネディスクールよりスペシャルイノベーション賞を受賞した。2017年度からは、川崎市宮前区まちづくり協議会より資金支援団体として助成を受けている。

現在は、子育て中の母親がもっとリフレッシュできる機会を増やすため、「ママスイッチオフ リフレッシュパーティー」と題して、母親たちが集えるイベントを積極的に行っている。区外から転入してきた若い世帯が多い宮前区では、近所に知り合いがいない子育て中の母親たちも多いという。そんな母親たちにとって、息抜きしつつ子育ての悩み事を気軽に話し合える場は重要だ。

2017年からは、ワインの講座と試飲をセットにした「アフタヌーンパーティー」を開催。地元のスーパーのワインソムリエを

2019年5月、いつも遊ぶ公園で、おいしいお菓子を食べながら母親たちがおしゃべりできる「ゆる茶会」を企画。お菓子は地元の洋菓子店でメンバーが買ってきたものを用意。

招いたこの会は参加者から大好評で、2年連続で行われた。2018年には、メンバーが買い集めた地元のおいしいパンを母親たちでおしゃべりしながら食べる「みやまえ初夏のパン祭り」を開催。この企画は、「パン屋さんは店内が狭く、ベビーカーや小さな子連れで入りづらい」というメンバーのアイデアから生まれた。パンを食べたあとは「友達に教えたいで賞」「子どもが好きで賞」といった賞に参加者が投票。このイベント翌日、各店舗に実際に行きパンを購入したという参加者もおり、店舗の売り上げアップに貢献するイベントとなった。

　2019年は「やさしい子育て」をテーマに、子どもの虐待問題も視野に入れた活動を展開している。

子育て応援だんのメンバーとして活躍する

藤田友子さん

みやまえ子育て応援だん

ゆるやかなつながりと
柔らかい参加で
子育てしやすい空気をつくっています

ふじた・ゆうこ
みやまえ子育て応援だん
中学1年、3年生の子どもをもつママ。
普段は会社員としてシステムエンジニ
ア部門で働いている。

「私はこれをやりたい。あなたも一緒にどう？」

　私たちはこれまで、ワインパーティーやパン祭、ハーバリウム講座など、子育て中のママが気軽に参加してリフレッシュできる企画をいろいろと実現してきましたが、こうした企画の根っこにあるのは「私、これやりたい！」という思いなんです。ワクワクするとか、うれしいとか…そういう内なるものが湧いてきて初めて楽しい活動になると思うので、まず自分たちがやりたいと思えることを大事にしています。それに加えて、「あなたも一緒にどうですか？」と周りを巻き込むのが私たちのやり方です。

　こういう活動って、ともすれば「私たちが主催者、あなたたちは参加者」と分かれてしまうんですよね。そうではなくて、やりたい当事者同士でやりましょうっていうのが私たちの視点なんです。これは、須藤さんが講師をされていた「ピープルデザイン未来塾＠宮前区」の講座で私たちが学び取ったことのひとつだと感じています。

　「行政にやってもらわないと何もできない」ではなくて、自分たちで行動することを目指しているので、こういう姿勢が参加者の方たちに伝わるだけでも大事だと思います。世の中は変わらないって不満を抱えているよりは、自分たちでみんなで一緒に行動を起こすことで、少しでも硬い岩場を崩すじゃないけど、生きやすい世の中に変えていきたい。そんな思いで活動を続けています。

人の心に届く場をつくるために

　毎月メンバーで集まる定例会では、イベントのことだけでなく、

根源的な問いを掘り下げる時間も大事にしています。例えば、私たちが子育てする場ってどういう場が一番いいんだろうとか、なぜこんなに子育ての苦しさを感じるんだろうとか。こうやって自分たち自身を掘り下げることなしに、イベントなどのアウトプットを積み重ねても、みんなの心に届くものはつくれないと、メンバーたちは感じています。これも「未来塾」で何度も何度も教わったことですね。

　あるとき、私たちのイベントに参加する予定のお母さんから「私はこうしたいんですけど」と問い合わせを受けたことがあるのですが、そのときはメンバーみんなで「この人はなんでこう言ったんだろう」ということを、すごく掘り下げて考えたんです。一日半くらいかけて、LINEのグループでメッセージが何通も行き交って…。こんなふうに、すぐ答えを出さず、みんなで立ち止まってじっくり考えた経験が、自分たちの糧になっていると思います。

会社員こそ、社会に出て活躍を！

　私たちの団体って、誰かがトップになってみんなを引っ張っていくというかたちではなく、円環的なつながりなんです。「ゆるやかなつながりと柔らかい参加」と私たちは言っているんですが、参加の仕方も、定例会に来て話すだけの人もいれば、イベント当日に参加するだけなど、人それぞれ。

　月に一度の定例会の参加者は、3人くらいのときもあれば、10人くらい集まることも。みんな自分の子どものことや仕事を優先するようにしているので、本当に流動的です。

　子育て中は特に大変な時期と落ち着いている時期の波がありま

すし、市民活動をいつも同じパワーで続けるのは難しいですから
ね。ひとりひとりの人生の、いろいろな波がある中で、「応援だん」
の活動に乗れるときには乗る、というイメージです。こっちに乗
れないときは、別の大きな波に一生懸命乗っているわけですから
ね（笑）。だから、「3カ月くらい会議に行ってないから、今さら
参加したら白い目で見られちゃうな」なんて思わなくていいんで
す。途中から参加してきたメンバーだって、最初からいたかのよ
うにみんな思っていたり。

　私は会社員歴20年以上になりますが、会社員として培った経
験やスキルって、こうした市民活動にすごく活きるんです。働く
人たちには、ぜひ社会的な活動にどんどん出てきてほしいなと思
います。働き方改革ってそのためにもあると思っているくらい。

例えば、地元で在宅でもサテライトでも働いて、15時くらいから時間が空けば、社会的なことにつながる活動をする。社会だけでなく、仕事にも還元できることがたくさんありますよ。

　現に私は、この活動を続けてきて、会社でいろいろあってもあまり怒らなくなりました（笑）。「応援だん」のメンバーは30代からシニアまで、年代も立場もさまざまな人がいますし、行政や地域の企業、団体など、社外の人とつながる機会が増えたことで、「社会は広い」ということを実感して。会社の中での出来事も客観的に捉えられるようになった気がするんです。世の中の見方も変わるし、社会に還元できるし、地域とのつながりもできるし、いいことだらけですね。

project
05

LGBTQフレンドリーを
目指した
「ピープルデザインシネマ」

障害者

LGBTQ

子育て中
の父母

高齢者

外国人

×

シゴト
づくり

ヒト
づくり

コト
づくり

モノ
づくり

映画の上映会を通じて
中高生にLGBTQを知ってもらう

　性別・年齢・国籍・障害の有無に関わらず、共に暮らせるまちづくりを目指すPDIの取り組みとして、ここまで、障害者・認知症を含む高齢者・子育て中の父親や母親をサポートするプロジェクトを紹介してきた。これから紹介するのは、LGBTQと呼ばれるセクシュアル・マイノリティ（性的少数者）の人たちをサポートするプロジェクトである。

　近年、ニュースや新聞などでも取り上げられる機会が増え、「LGBTQ」の単語は周知されるようになってきたことと思う。レズビアン（Lesbian・女性同性愛者）、ゲイ（Gay・男性同性愛者）、バイセクシュアル（Bisexual・両性愛者）、トランスジェンダー（Transgender・性別越境者）、クエスチョニング／クィア（Questioning / Queer・性的指向が定まっていないなど）の頭文字をとったもので、セクシュアル・マイノリティの総称のひとつだ。

　PDIが2014年から川崎市と行っている「ピープルデザインシネマ」というイベントがある。市内の商業施設ラ チッタデッラ内の大型ライブホール「クラブチッタ」や映画館「チネチッタ」を会場として、中高生とその保護者向けに映画を上映する年1回のイベントだ。2014年は障害者が主人公の映画を扱ったが、2016年以降はLGBTQをテーマにした映画を上映している。上映前後には、LGBTQ当事者に登壇してもらうトークイベントや、当事者や活動団体を集めて日頃の悩み相談などを受け入れる「情報共有ルーム」なども行なっている。

　来場した若者からは「当事者や支援者の方のお話を直接聞くことができてよかった」、中高生の保護者世代からは「性のあり方は人それぞれ。それを縛っているのは大人たちの固定観念なのではないかと感じた」などの感想が上がった。

若者たちに直接訴えかける
当事者のトークイベント

ピープルデザインシネマにて、初めてLGBTQがテーマの映画を上映した2016年8月。上映作品は、70年代のアメリカで起きた実話を元にした、育児放棄されたダウン症の少年をゲイのカップルが育てる「チョコレートドーナツ」。約250人の来場者が訪れた。

　2018年1月には、ベルリン映画祭でテディ審査員特別賞を受賞した「彼らが本気で編むときは、」を上映。男性の体で産まれたが女性の心を持つトランスジェンダーのリンコ、その恋人のマキオ、愛を知らない孤独な少女トモの物語である。上映後のトークイベントには、トランスジェンダー当事者である杉山文野さんに登壇してもらった。彼は女性の体で産まれたが、心が男性。今でこそ講演会や企業研修、メディアへの出演と幅広く活躍している彼だが、学生時代は「人と違っている自分は間違っている、未来はないと思っていた」と言う。ずっと制服のスカートに違和感を持ち続け、好きな女の子ができても周りに打ち明けられない。初めて友達にカミングアウトしたのは高校1年のときだった。当時の想いを、彼は次のように語ってくれた。

　「付き合っていた彼女に振られたんですが、誰にもつらい気持ちを話すことができずにいたんです。そんなとき、同じ部活の親

2019 年には「カランコエの花」を上映した。
上映の前後にトークショーを行い、監督中川駿さんと鈴木茂雄さんにご登壇頂いた。

写真左が杉山文野さん

　友に『大丈夫？　何かあった？』って声をかけてもらって。今まで
の苦しさが溢れ出して、泣きながら吐き出しました。彼女は黙
って聞いていたけど、最後に『話してくれてありがとう。文野は
文野で、変わりないじゃん』って言ってくれて。初めてこの世に
生まれ出たような想いがしたんです」

　LGBTQは人口の約8.9%[※1]いるとされている。これは11人に1人
の割合で、30人学級の場合だとクラスに2〜3人いる計算となる。
しかし、杉山さんのように「友達に受け入れてもらえるか」「自

94

分は異常ではないか」と悩み、打ち明けられない人が大勢いる。カミングアウトの難しさゆえ、LGBTQ当事者は「見えないマイノリティ」とも呼ばれているのだ。

当事者を知る機会を増やすことで
心のバリアをなくしていく

　私たちの活動は「当事者を知り、当事者と触れ合うことに慣れるだけで、大方の"心のバリア"はフリーになる」という考え方を底流に置いている。

　これまでのプロジェクトでも述べてきたが、差別意識をなくす一番の近道は、無知であるがゆえに抱く「恐怖」からの解放である。相手を知る機会を増やし、無知を知に変えること、すなわち他者とのコミュニケーションそのものだ。「話してみたらフツーの人じゃん」と思うことができれば、LGBTQだから、障害者だからという理由ではれものに触るような意識もなくなる。

　そのための最も近道は直接当事者と触れ合うことだが、いきなりはハードルが高いという人もいるだろう。そこで、家族や友達同士で気軽に楽しめる映画というコンテンツを通じて、これからの未来を担う次世代を中心に、ダイバーシティの考えや喜びを伝えていきたいというのが私たちの狙いだ。

※1…電通ダイバーシティラボ「LGBT調査2018」

ピープルデザインシネマの現場を担当する

岩切仁志さん

川崎市　人権・男女共同参画室

「楽しく・細く・長く」を大事に
トライ&エラーを繰り返しながら
続けています

いわきり・ひとし
川崎市市民文化局
人権・男女共同参画室　担当係長＊
2016年より人権・男女共同参画室担当係長。「ピー
プルデザインシネマ」をメインで担当している。
（＊2019年度時点）

初めてづくしのイベントにプレッシャー

　LGBTQをテーマに「ピープルデザインシネマ」を行うように
なった2016年。川崎市役所内では、このイベントを人権・男女
共同参画室というセクションが担当するようになりました。私が
ちょうどこのセクションに異動してきた年です。

　私が異動した当時は、前任者とピープルデザイン研究所さんが
ある程度企画を進めてくれていたおかげで、公開日も上映場所も
上映作品も決まっていました。それでも、市役所に入ってからこ
のようなイベントを担当するのは、私にとってほぼ初めてのこと。
外部のNPO法人さんとご一緒するのも初めてでしたから、告知
の仕方もイベントの組み立て方も、すべて新鮮に感じたことを覚
えています。

　例えば告知なら、市役所の場合は「市政だより」がメインにな
りがちですが、ピープルデザイン研究所さんはSNSを活用する
のはもちろん、新聞、情報誌、WEBメディアなどさまざまなと
ころに働きかけてくれました。外部の方とイベントの進行をする
のは初めてとはいえ、市が包括協定を結んでいるNPO法人さん
なので信頼してお任せすることができましたね。

　この年、私が主に担当したのは現場運営ですが、春に着任して
から夏の実施に向けてとにかくバタバタしていて、あまり記憶が
ないんです（笑）。ただ、人権セクションがLGBTQをテーマにイ
ベントを行うのは初の試みでしたので、「これはコケさせちゃだ
めだ！」という思いが強かったのは確かです。また、今後も見
据えて毎年続けるイベントにしていきたいと思っていたので、と
にかく成功させようと意気込んでいました。

アクシデントも成果に変える秘訣は？

　2016年は中高生をターゲットにしていたため夏休みに実施したのですが、期待したほど中高生の来場者がいなくて…。そこで2017年は、改めて中高生向けにするのか、それとも社会人向けにするのか議論するところからスタートしました。その結果、今回は社会人を意識してやってみようということで、1月の平日の夜に開催したんです。

　想定外の出来事が、いい結果につながったこともあります。実は登壇者の方のご都合で、急遽、トークショーを上映後ではなく上映前に行うことになったんです。お客様の反応に不安もありましたが、イベント終了後のアンケート結果を見ると「事前のトークショーのおかげでより映画を理解できた」というお声があって。じゃあ来年度もトークショーを先にしようかという話になりました。何事も、とりあえずやってみて、結果から次を考えるという姿勢が大切だと実感しましたね。

　ピープルデザイン研究所代表理事の須藤さんが、よく「楽しくやりましょう！」とおっしゃるんですが、私も同感です。このイベントの隠れテーマは、「楽しく・細く・長く」続けること。とはいえ、私自身は開催当日まで胃に穴が開きそうな感じですけどね。「こんなに応募がきたけど、本当に来てくれるのかなぁ…」と（笑）。そのドキドキを楽しんでいるとも言えますね（笑）。

続けたからこそ見えてきた手応え

　LGBTQをテーマにしたイベント3年目の2018年度は、認知度

が上がったおかげか、なんと200人以上の参加応募がありました。心苦しくも、定員オーバーのためお断りした方もいたくらいです。映画のテーマが高校生だったので、若い世代のお客様も来てくれました。

　この年うれしかったのは、上映後に設けた「情報共有ルーム」に、当事者と思われる方たちが来てくれたことですね。以前、支援団体の方から「こういう活動は止めちゃだめよ。やり続けたら人が集まるんだから」と言われたことがあって、ああ本当だなあ、と。3年でこんなに手ごたえを感じられるとは驚きでした。

　「ピープルデザインシネマ」は、川崎市のWEBサイトでも紹介しているのですが、それを見た全国の自治体の方たちから問い合わせをいただいています。映画の無料上映会とトークショーをセットにしたイベントは自治体であまり行われていないようなのですが、「トークショーだけだと行きづらいけれど、『映画を無料で

ピープルデザイン研究所スタッフより

お互いへの信頼感をカギに
継続してきたピープルデザインシネマ
田中真宏（ディレクター）

岩切さんは熱い想いと意志をお持ちで、行動力も実行力もあります。行政の皆様と協働・連携していく上では、岩切さんのようなご担当者の存在はたいへん心強いです。

　毎回お互いにこのイベントに全力で取り組みながら、ときにお願いしたり、ときにフォローし合える信頼感を築き上げてきた結果が、継続や進化につながっていると思います。

見られる』という理由があると行きやすい」とのお声をいただい
ています。つまりこの「セット」というのが、絶対に譲れないポ
イントなんです。「トークショー・映画・情報共有ルーム」の3
点セットで川崎発の「ピープルデザインシネマ」が、全国に広ま
ってくれたらうれしいですね。

プロジェクトパートナー

project
06

地元の人と
まちの空気をつくる
「ピープルデザインストリート」

障害者

LGBTQ

子育て中
の父母

高齢者

外国人

✕

シゴト
づくり

ヒト
づくり

コト
づくり

モノ
づくり

6,500人以上が訪れる
商店街200mの歩行者天国

　青空マージャンに興じるお年寄り。ステージ上でダンスを先導する車イスの男性。道路脇に並んだ屋台から、ほがらかな呼び声を上げる地元飲食店のスタッフ。

　普段はコミュニティバスが運行する、200mほどの商店街を半日だけ歩行者天国にして行われるイベント、それが神宮前二丁目の「ピープルデザインストリート」だ。

　神宮前二丁目とは、東京都渋谷区の外れに位置する、小さな個人商店や飲食店が立ち並ぶ街だ。「奥原宿・奥渋谷」と呼ばれるエリアに位置し、原宿駅から徒歩15分ほどにある喧騒から離れ

回を重ねるごとに来場者は増え、今では誰もが楽しめる恒例のイベントとなった。

た閑静なエリアだ。この地で生まれ育ち、今でも現役で遊び、働く高齢者も多い。新国立競技場の近くということもあり、東京オリンピック・パラリンピックの開催時には多くの外国人や障害者が訪れると予想されている。そうした人々を明るく迎えられるよう、ダイバーシティのまちづくりの一環として、地元の商店会「神宮前二丁目商和会」の方々とこのイベントを立ち上げた。

　記念すべき第1回目を開催したのは2014年10月で、来場者数は延べ3,200人。それから毎年1〜2回継続的に開催し、ここ数年の来場者数は平均約6,000人。2019年10月には第9回目を迎え、今や神宮前二丁目の方々にとっては定番のイベントとなっている。

地元の人たちの出し物と福祉を
融合させたストリートイベント

　南北に伸びる商店街の真ん中にはメインステージが設置され、地元の音楽好きによるバンド演奏や、商店街加盟店のスタッフによるバルーンアートやフラダンスが披露される。そのまわりでは、子どもたちと一流アーティストが入り混じって、道路にチョークで落書きしている。最新の電動車イスなどのモビリティの試乗体験も、毎回、老若男女問わず人気のコンテンツだ。昼下がりには「東京音頭」と「渋谷音頭」が流れ、地元に長年暮らすお年寄りたちが先陣を切って踊り出す。「何カ月ぶりかで家から出てきた」と言う80歳過ぎのおばあちゃんが、若者たちに踊りを指導することも。通りすがりの外国人が、商店街の居酒屋が出店する屋台で唐揚げを買い、スタッフと談笑している。

　終了時刻まで、たくさんの笑顔が絶えないストリートイベント。

神宮前二丁目で暮らす・活動する人たちによる屋台や出し物と、PDIが提案する、今までの福祉とはちょっと違った「超福祉」の体験が融合したピープルデザインストリートは、200mほどの商店街がダイバーシティ空間となる半日なのだ。

「思いやり」を街のカルチャーにしたい！

ふだん見慣れた商店街がダイバーシティ空間になるという仕掛けの裏には、「思いやり」を街のカルチャーにしたいという狙いが含まれている。

障害のある人もない人も、子どももお年寄りも外国人も、みんなが同じ空間で同じイベントを楽しむことが、「違いがあるって、フツーのことじゃん」と思うきっかけとなる。そんなふうに意識が変われば、困っている人に自然に手を差し伸べられるように、一人ひとりの行動が変わる。行動が変われば、お年寄りや子育て中のお母さん、障害者も街に出ていきやすくなり、街の空気が変わる。お互いのちょっとした思いやりが他の人にも目撃されることで、街全体に思いやりの連鎖を引き起こしていく。いつの日かそれが当たり前の習慣となり、街の文化となる。街ぐるみの活動に落とし込むことで、社会の空気を変えることを目指す。それが私たちの狙いなのだ。

神宮前二丁目商和会の仲間に加わって発進！

私たちの考えに賛同してくれたのが、現在の渋谷区長であり、当時は区議会議員だった長谷部健さんだ。

お年寄りから子どもたちまで、「渋谷音頭」を輪になって踊る。神宮前二丁目をはじめとする近隣の方々にとって「ピープルデザインストリート」は、多様な人たちが混ざり合って楽しむ恒例のイベントだ。

　「私は、渋谷区で生まれ育った身として、いつまでも渋谷にかっこいい街でいてほしい。そのためには渋谷が、世界に向かってダイバーシティを発信する街であることが大事だと考えています。」と語る長谷部さんは、渋谷区には6ブロックに分かれた58もの商店会が存在することを教えてくれた。

　「大きな渋谷に至るには、小さな一つひとつの商店街をつなげて考えていく必要があります。まずはそのロールモデルづくりを始めてみてはどうでしょうか」

　そして白羽の矢が立ったのが、PDIの事務所から徒歩圏内にある商店街「神宮前二丁目商和会」であった。

　当時の商和会会長・佐藤正記さんと、研究所のメンバーが初めて顔を合わせたのは2013年4月。商和会の役員にはご年配の方も多いのだが、「よそ者」であるはずの私たちのことも、仲間として快く受け入れてくれた。月1ペースでみなさんと会合を設け、

道路にチョークで描きたい放題の「らくがきコーナー」はいつも大人気。落書きした後は、子供たちが自らの手で綺麗に掃除するのが恒例だ。

どうやってこの商店街を盛り上げていくかを話し合った。

　イベントのコンセプトは「向こう三軒両隣」「声かけに始まる親切の発動」「多様な人たちの理解と啓蒙」、そして違いのある人たちが当たり前に混ざり合って「対話することの喜び」だ。これをドキドキ・ワクワクしながら共有体験する機会を、ピープルデザインストリートのコンセプトとし、2014年10月に第1回目のイベントを開催するに至ったのだった。

ブラインドサッカー体験で生み出す
コミュニケーションの必要性

　イベント当日は、神宮前二丁目商店街に加盟するお店の出店に加えて、PDIがコーディネイトする体験会も開催している。その

ひとつが、日本ブラインドサッカー協会と連携した「ブラインドサッカー体験会」だ。日本では、幼少期から学びの場でも社会でも、障害者と健常者が混ざって接する機会が極端に少ない。心のバリアを生んでいるのは、接触機会がなく、不慣れからくる無知や恐怖心のせいではないか。そう考え、幼い子どもたちを対象に、障害のある人たちと接する機会を意識的に増やす狙いで行なっている。

　パラリンピックの正式種目となっているブラインドサッカーは、視覚を閉ざした状態でプレイする競技。選手たちはアイマスクを着用するが、転がると音の鳴るボールを使っているため、ボールの位置は音で判断できる。視覚障害者同士が協力してプレイする、「音」と「声」のコミュニケーションが重要なスポーツだ。

　体験会では、健常者のサッカー少年たちがアイマスクを着け、目の見えない状態でプレーを経験する。この狙いは、「障害者の大変さを体験すること」ではなく、人と声をかけあうことの大切さ、コミュニケーションの重要性を知ってもらうこと。健常者でも体験してみると感じることだが、視覚を閉ざすと、聴覚や触覚など、視覚以外の感覚をフル稼働させることになる。目隠しをしてブラインドサッカーを始めた子どもたちは、ボールの位置を知るため、自ら声を発したり、友達の声を聞き分けたりしようとする。こうして声をかけあうことで、言葉によるコミュニケーションの重要性を体感できる。想像力やコミュニケーション力の向上、助け合いの精神の醸成、混ざり合う価値観。視覚を閉ざすことで、自分の可能性を伸ばす機会が生まれるのだ。

地元のプロ野球球団ヤクルトスワローズのマスコットキャラクター
「つば九郎」や、渋谷区 PR キャラクター「あいりっすん」も参加。

渋谷をホームタウンとする、Bリーグ サンロッカーズ渋谷も参加。地元の千駄谷バスケットボールクラブの子供達が運営をサポートして、ミニバスケット体験会を開催している。

半日のイベントがきっかけで
つながっていく輪

　2019年の開催で第9回目を迎えたピープルデザインストリート。うれしいことに、このイベントをきっかけに、「うちもピープルデザインストリートに出店したいんだけど、どうすればいい？」と商和会に問い合わせ、加盟する店舗・会社がぞくぞくと増えているという。イベントをきっかけに、街や人のつながりが新たに広がっているのだ。実はPDIスタッフの中にも、本イベントの初回に大学生のボランティアスタッフとして参加し、今や運

営委員としてこのイベントを仕切っている者がいる。

　神宮前二丁目は、特別大きな企業があるわけでも、商業施設があるわけでもない。決して特別ではない街だが、そんな普通の街の、普通の人々の中からこそ、社会の空気は変わっていくものだ。今後も「普通」の街に活動の輪を広げ、一歩ずつ社会の空気を変えていきたい。

街を挙げてイベント運営に取り組む

神宮前二丁目商和会

東京都渋谷区

新しいお店や
若者たちを巻き込んで
もっと街を盛り上げたい!

お話を聞いた神宮前二丁目商和会役員の方たち
左／大友良一さん。毎週末、地域の防犯パトロールを行う。
中／佐藤正記さん。2017年まで通算16年、神宮前二丁目商和会会長を務める。
右／藤田和也さん。地元の写真店オーナー。ピープルデザインストリート当日は撮影係。

地元の人間だからこそできること

藤田 ピープルデザインストリートの企画や運営はピープルデザイン研究所が進行してくれて、それを商和会がフォローするような感じだったよね。

大友 研究所のスタッフさんが近隣の人たちへの告知も手伝ってくれたんだ。ポスターやチラシも作ってくれたね。

佐藤 イベント当日、僕の主な仕事は、地元の人への対応。何か言われても、ベテランの役員さんたちは地域の人とのつながりが誰かしらあるから安心だったね。

大友 イベントで路上音楽ライブをやったじゃない。今までやったことなかったから、苦情もあるにはあったけど…。でも、うちの近所のヘッドスパのお店は、次回やるときは、その日にお店を休みますからって言ってくれたよ。

藤田 当日は研究所が呼んでくれたボランティアスタッフもいたけど、交通整理は商和会の役員が担当して。

大友 当日は車両規制をしてるからね。でも、「あそこの駐車場に入りたい」って言われても、詳しい道は地元の俺達にしか分かんない。だから、交通の誘導は自分たちでやってるんだよね。

佐藤 バスを止めるなんてって怒られたこともあったけどね（笑）。もちろん許可はとってあるし、事前に近隣の方たちにはお知らせしているけど。

大友 俺、「何でバスが通れないんですか！」っておばちゃんに絡まれたよ（笑）。そしたら別の役員さんがフォローしてくれて助かった。やっぱり客商売をやってる人は対応がうまいなと思ったよ。

みんなで儲けるまちづくり

佐藤　イベントをやると、街のみんなでコミュニケーションが取れるのもいいんだよね。事前の会議や準備でも、ああだこうだやりながらね。僕らも「ピープルデザインストリート」を1回やってみて、自信がついたと思う。こういうイベントをやっていくと、「いいことやってるな」「あそこの商店街はにぎわってるな」なんて思って、商和会に加盟してくれるお店が増えていく。

大友　昔から営業している二代目、三代目のお店もあるけど、新しく商和会に加盟してくれたお店も増えたね。

藤田　何も活動してなかったら、加盟しようと思わないもんね。会費も毎月払うし。

大友　今までも、自分たちで盆踊りとかくじびきイベントはやっていたんだけどね。

佐藤　でもそれって、お客さんはもらうだけ、こっちは与えるだ

2019年、ピープルデザインストリートvol.9に向けての商和会ミーティング。

PDI スタッフより

商和会役員さんとの会議には 子どもを連れて参加

渡部郁子（子連れフリーアナウンサー）

1回目のピープルデザインストリートに遊びに行ったあと、会議を見学しに行ったら、いきなり現場監督を任されてびっくり（笑）。そこからPDIのスタッフに加わりました。商和会のみなさんと接する中で、 地域を良くする様々な活動や取り組み、課題を知り、まちづくり活動の楽しさを教わりました。特に神宮前二丁目のみなさんは優しくて、子連れで会議に参加してもあたたかく迎えてくれて。子どもも喜んでついてくるんです。

けで終わっちゃう。それは変えたほうがいいんじゃないって提案が出てきて。どうしようかって話してたら、たまたまつながりがあったピープルデザイン研究所さんが「お手伝いさせて頂けませんか」って話をしてくれて。それはウエルカムだなって思ったんだ。やっぱり自分たちだけでやると、自分たちがラクなことしか考えないからね。新しいことを考えて実現するのって、本当に大変だから。でも、そこをフォローしてくれる人がいれば、大変なこともあるんだけど、できちゃうんだよね。新しいお店や若い人たちが入ってくれて、いろいろな意見を言ってくれたり、イベントの運営も手伝ってくれたりして、もっと街を盛り上げていきたいよ。そうやってみんなで儲けることが、商店街の目標だからね。

※初めてピープルデザインストリートを行った2014年の取材をもとに再構成。このイベントを機に、商和会の加盟店は年々、増加している。

人とテクノロジーで
超福祉を実現する
「超福祉展」

障害者
LGBTQ
子育て中の父母
高齢者
外国人

×

シゴトづくり
ヒトづくり
コトづくり
モノづくり

2014年から行なっているモビリティツアー。写真は第1回目の様子。
世界的にも有名な渋谷ハチ公交差点で、最新モビリティを走らせた。

テクノロジーでこれからの選択肢を魅せる

　シブヤの街を舞台に行なっている代表的なイベントが、「2020年、渋谷。超福祉の日常を体験しよう展」、通称「超福祉展」だ。渋谷駅直結の複合商業施設「渋谷ヒカリエ」の8階にある、クリエイティブスペース「8/」をメイン会場に、渋谷の街中をステージにして開催しているイベントだ。障害者をはじめとするマイノリティとマジョリティの間にある「心のバリア」をクリエイティブに壊していく。そのために、「カッコいい」「カワイイ」と触れてみたくなるデザインや、大きなイノベーションを期待させてくれる「ヤバい」テクノロジーを備えたギアとしてのプロダクトを展示し、体験していただく。他にも、多種多様なジャンルの魅力的なプレゼンターたちが登場するシンポジウム、来場者も気軽に参加できる多彩なワークショップを用意しているが、従来の超福祉の枠を「超え」、超福祉を日常化させるイベントとして、諸外国からも注目を集めている。

　2014年から毎年開催している超福祉展だが、開催のきっかけはPDIを法人化した2012年にさかのぼる。この年、私たちは原宿の「BA-TSU ART GARELLY」と青山の「国際連合大学前広場」にて、「PEOPLE DESIGN MIXTURE」というイベントを開催した。「エコロジー×ハンディキャップ」「モビリティ×ファッション」といった、今まで出会っていなかったモノ・ヒト・コト・団体をミックスして展示やシンポジウムをプロデュースすることで、シブヤの未来像について来場者が体験し、考え、語り合う試みだった。こうしたコンセプトのもと、環境省と国連大学が共同で運営するGEOC（地球環境パートナーシッププラザ）や日本ブライン

2012年に開催した「PEOPLE DESIGN MIXTURE」。原宿の「BA-TSU ART GALLERY」
では、ファッション・アート・モビリティを掛けあわせた展示を行った。

2014年に東京体育館にて開催した「Mixture！People Design Fes.」での、セグウェイ試乗
会の様子。

渋谷駅前ハチ公前広場でも、毎年ダイバーシティをメッセージするライブやパフォーマンスなどを行っている。2017年は、富士通株式会社の、音をからだで感じるユーザインタフェース「Ontenna」を使用した体験イベントを行った。

ドサッカー協会などの協力を得て、五感を研ぎ澄ませる自然観察会、ブラインドサッカー体験会、セグウェイやハンドバイクの試乗会などを行なった。これが好評を博し、翌2013年には、東京国体とコラボした「Mixture ！ People Design Fes.」を開催。東京都や渋谷区と連携のもと、東京体育館にて同様の試乗会や、大

人も子供も平等に遊べるスペース「asobi基地」、障害者就労を支援しているキッチンカー「SHIBUYA PARK CAFE」による飲食スペースを提供して、国体を盛り上げた。この2年間のイベント開催で広がったつながりを活かして、2014年、さらにイベント内容をパワーアップさせて、超福祉展を開催するに至ったのだ。

2014年から、渋谷警察署に許可を頂きながら商業施設や街中で積極的にモビリティを走らせ、その姿を見せ付けてきた。当時は人目を惹き付けたが、ここ最近では、こういったモビリティは渋谷の街中に違和感なく馴染み、日常化してきている。

　従来の福祉を超えた姿を魅せる超福祉展。そのイベントを実現するためには、場所選びも重要なポイントだった。ファッションやポップカルチャーの発祥地であり、今後の日本を担う若者たちが集う場所、東京・渋谷のど真ん中で開催することを決めた。

若者が集い、流行りが生み出される街・シブヤ

　渋谷はファッションや音楽などの若者文化を牽引してきた、世界的にも認知度が高く影響力が大きい街だ。2012年には渋谷ヒカリエや東急プラザ表参道原宿が開業。最近では渋谷ストリームや渋谷スクランブルスクエアといった大型複合施設の誕生を経て、東京オリンピック・パラリンピック開催を迎えるにあたって、防災機能の強化や動線改良、快適性向上のための大規模な開発も進み、改めて人々の注目が集まっている。ゴミ拾いボランティアの「グリーンバード」や、街をまるごとキャンパスにする「シブヤ大学」といった渋谷発信のプロジェクトも活発だ。

　そんな渋谷のど真ん中にそびえ立つ「渋谷ヒカリエ」を拠点に、ハチ公前広場や最先端のセレクトショップをはじめとする渋谷各所で開催することにより、街全体を媒体としていたる場所から、意識の変革を起こしていくことを狙った。

「いいね！」を引き出すアプローチで
パラダイムシフトを起こす

　私たちが目指すのは、意識や心のバリアを壊すだけなく、さまざまな違いをもった人々が自然に混ざり合える空気感の醸成。マイノリティにフレンドリーな環境は、これからの時代、必ず地域の価値となる。そんなメッセージを次世代に伝えるためにも、若

イベントの準備は1年前から始まる。コピー・デザイン・設計は、Fan club.、MUZIKA、upsetters architectsの3社を中心としたクリエイティブチームを結成。初年度から今に至るまで共に超福祉展を創りあげてくれている。

者の街・渋谷は最高の媒体、「メディア」だ。また福祉機器を「かわいそうな人が使うモノ」ではなく、「カッコいい次世代のプロダクト」「デザイン性に優れた最先端テクノロジー」として魅せるうえでも最適だと思ったのだ。

　困りごとを解決するため、自らの主義主張を表すことは大切だ。他方、国や行政に「お願い」する時代はもう終わったとも考えている。特に次世代に訴えるためには、思わず「いいね！」と言ってしまうような、憧れや共感を刺激するクリエイティビティで街のみんなを巻き込んでいくことが求められる。カッコいい、かわいい、面白いといったポジティブな感情は、心のバリアフリーを実現するばかりでなく、経済のパラダイムシフトまでをも起こす力を秘めている。

　例えば従来の福祉機器は、保険が適用されるかどうか重視している一方、デザイン性は劣っている物が多かった。マーケットが福祉や医療の場と既存の思考に縛られがちなため、福祉のフィールドだけでは当事者の選択肢が少ないのが現状だ。でも、たとえ価格が高かろうと、革新的なデザインや快適な使い心地を実現した製品が選択肢にあってもいいのではないか？　そうした製品が、医療や福祉の場だけでなく、一般市場でも流通されるようになる未来を思い描いてみてほしい。「医療器具」から「ファッションアイテム」へとステージを変えたメガネのように、需要が拡大することで、産業として活性化していく。すると、市場が形成され、競争が生まれ、ロットが増えて単価が下がる。保険が適用されなくても購入しやすくなる価格帯も現実味を帯びる。そしてなにより、必要とする人たちの選択肢が広がる。社会保障、税金の受け手であるマイノリティが、消費し、税金を納める納税者へと変わ

会場ではプロのアーティスト、「THE BLUE LOVE sense + KAZ」が毎年、会場内やモビリティに「超福祉」をテーマにしたライブペインティングを行っている。

みずほ銀行渋谷支店では、認知症の方の感覚を疑似体験する「認知症VR」や、震災時に外国人や認知症の方が感じる困難を疑似体験する「防災VR」の体験会を開催した。

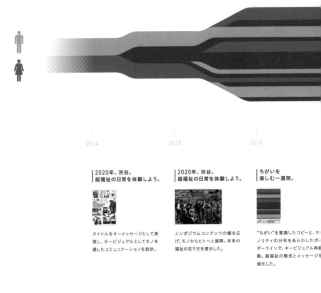

超福祉は
何を超えていくのか？

What will super welfare exceed?

2014　　　　2015　　　　2016

2020年、渋谷。
超福祉の日常を体験しよう。

タイトルをキーメッセージとして表現し、キービジュアルとしてモノを通したコミュニケーションを設計。

2020年、渋谷。
超福祉の日常を体験しよう。

シンポジウムコンテンツの幅を広げ、モノからヒトへと展開。未来の福祉の在り方を提示した。

ちがいを
楽しむ一週間。

"ちがい"を意識したコピーと、マイノリティの分布をあらわしたボーダーラインで、キービジュアル再構築。超福祉の概念とメッセージを強化した。

もっと、ひとりへ。
もっと、みらいへ。

既成概念や思い込みを超えていくことで、福祉への取り組み方が変化していくことを実感してきた5年間。超福祉展に集まる、プロダクト、アイデア、すべての活動は、このプロジェクトに共感してくださった一人ひとりの想いや時間が重なり、現実化したものとも言えます。つまり、境界線の意味を捉え直し、多様性に正面から向き合うと、じつは"ちがい"とは一人ひとりの"個"に帰結することに気づくのです。そして、この場所はこれからも、そうした様々なちがいを持つ個と個をつなぎ、そのちがいを意識することから新しい未来を描く場所を目指していきます。

超福祉の変遷。2019年の展示会パンフレットより抜粋。

っていくのだ。マイノリティが抱える困りごとを、テクノロジーのイノベーションによって、カッコよく・かわいく・楽しく解決していくことで、社会的コストを減らすばかりか、新しい市場を創造し、この先の労働人口減少に伴う税収減をも補う可能性を見いだせる。こうした考え方への注目が高まっていることは、超福

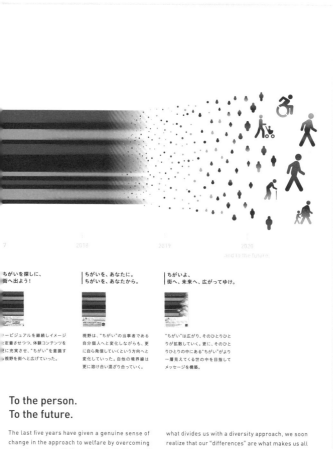

2017　　　2018　　　2019　　　2020　and to the future.

ちがいを探しに、
街へ出よう！

ーービジュアルを継続しイメージ
を定着させつつ、体験コンテンツを
更に充実させ、"ちがい"を意識す
る視野を街へと広げていった。

ちがいを、あなたに。
ちがいを、あなたから。

視野は、"ちがい"の当事者である
自分個人へと変化しながらも、更
に自ら発信していくという方向へと
変化していった。自他の境界線は
更に溶け合い混ざり合っていく。

ちがいよ、
街へ、未来へ、広がってゆけ。

"ちがい"は広がり、そのひとりひと
りが拡散していく。更に、そのひと
りひとりの中にある"ちがい"がより
一層見えてくる世の中を目指して
メッセージを構築。

To the person.
To the future.

The last five years have given a genuine sense of change in the approach to welfare by overcoming stereotypes and prejudices. All products, ideas and activities on site at the Super Welfare Expo are the result of the accumulation of the sentiment and time spent by each and every person who took part in this project with us. In other word, when reinterpreting what divides us with a diversity approach, we soon realize that our "differences" are what makes us all unique "individuals." In this sense, we hope the Super Welfare Expo can continue to be a place to serve all individuals to bring a brighter future by promoting "differences."

祉展の来場者数が年々増えていることからもうかがえる。

　渋谷という街を媒体にして、心のバリアフリーを実現するための「具体的な方法論」を国内外に向けて発信する超福祉展。公費に頼らない新しい福祉の伝達手段として展開するこのイベントの鍵となるポイントは、モビリティ展示中心の"モノ"にはじまり、

シンポジウム中心の"コト"や"ヒト"へと変化し、2020年の最終回に向けて今もなお進化し続けていることだ。

イノベーティブなテクノロジーとデザイン性で
新たな価値を付加

　展示は、第1回目の超福祉展から続く目玉コンテンツである。これまで、社会に対して新たな価値を提案できるようなプロダクトを多種多様に集め、開発者やストーリーと共に紹介してきた。展示しているのは、車イスや義手・義足・義肢といった歩行支援器具、補聴器、視覚障害者向けの器具など、いわゆる「福祉機器」と呼ばれるプロダクト。一般的に「地味」「ダサい」「かわいそう」「使いたくない」という印象を与えがちな製品だが、超福祉展で展示されているプロダクトには、そんなイメージを塗りえる、それどころかまるでSF映画を観ているような、未来を感じるワクワクした気持ちを呼び起こす魅力がある。カッコいいものには、人を惹きつける力がある。ましてやそのカッコよさが、テクノロジーに裏打ちされた最先端の機能を伴っていれば、なおさらだ。使う人はもちろん、周囲の人からも「ヤバイ！」と憧れられるようなデザイン性が備わっているか？私たちは、イノベーティブなテクノロジーとデザイン性に優れていることをキーワードに、展示するアイテムをセレクトしている。

　展示方法も、いかにテクノロジーとデザイン性を感じさせるかに重きをおいている。シニア向けの電動車イスは、一流のアーティストがその場でポップなイラストを施すライブペイントの対象物として見せる。この電動車イスは既存の製品だが、カッコいい

福祉の枠にとらわれず、様々なジャンルの方々が登壇するシンポジウムを毎日開催。期間中は100名以上が登壇し、毎回満席となっている。

デザインを施すなど見せ方を工夫するだけで、高額にも関わらず「買いたい！」という人が現れる。超福祉展の開催期間中は、会場では販売していないプロダクトに対しての購入希望の声が国内外から毎日のように寄せられた。金額は30万〜300万円ほどで、旧来型の福祉関係者からは「高い」と言われるものの、自動車免許を返納し、気軽にまちへ出かける機会を失った高齢者にとっては「安い」と思えることも多かったと知ることができた。実際に福祉機器を使用する障害者の方から、「こんなデザインの義足を毎日使えるなら、価格の問題ではない」という声をいただき、従来の福祉機器の枠では拾えていない大きな需要があることが明らかになった。

SHIPS渋谷店では毎年、最新の秋冬ファッションと最新のモビリティなどがショーウィンドウに展示される。

　2025年、団塊の世代が75歳以上となり65歳以上の人口構成はおよそ3割に至る。足腰に問題を抱えがちな高齢者が増えることで、歩行をサポートする福祉機器を必要とするのは、障害者だけではなくなってくる。デザインコンシャスなプロダクトが開発され、使用者の選択肢が広がりつつある今、身体機能を補完する機器はますます身近になっていくであろう。

　街中では、感度の高い若者に人気のファッションショップ「SHIPS」や「BEAMS」、アウトドアショップの「mont-bell」、スーツの「HANABISHI」などのショーウインドウに今流行のファッションとともに最新のモビリティやプロダクトをディスプレイする。従来の概念では、車イスは、障害者や高齢者のものとされている。しかし、「自動車やスケートボードに代わる、誰にとってもカッコいいと思える乗り物」というプレゼンテーションをすれば、車イスに対する心のバリアを壊し、新たな価値を提案で

きる。そんな気持ちを込めて、私たちは、車イスをはじめとした移動性の福祉機器を「モビリティ（乗り物）」と呼んでいる。「都市型モビリティ」として提案することで、イメージに敏感な子どもや若者たちは次々に乗りたがるのだ。

超福祉展の第1回目から欠かさず行なっている最新モビリティの試乗会は、超福祉の世界を能動的に体感してもらう目玉コンテンツだ。まるで海外の都市で行なわれているモビリティツアーのように、最新の電動車イスを使って渋谷をめぐるツアーを行なう。デザイン性に富んだ新しいモビリティは、障害の有無を問わず、みんなが乗りたくなるアイテムとなる。

さらに、単なる移動手段を超えて、人々が自分らしく暮らしたり、人とコミュニケーションをとったり、というような街を楽しむためのツールへと進化している。「超福祉展」で人気のモビリティを使った渋谷モビリティツアーのように、自分らしく過ごせるモビリティで街を走り、いろいろな人が混ざり合う場を創出することは、未来の街をつくる人と人とのコミュニケーションや、つながりを生むきっかけをつくっている。

「カッコいい」「かわいい」「触ってみたい」
ポジティブな感情を引き出すプロダクト

超福祉展で展示してきたプロダクトは、どれも「かわいそう」ではなく「カッコいい」と目を引くものばかり。ファッションとして提案しているそれらは、もはや「隠す」から「魅せる」アイテムだ。ほかにも、例えば義手は製作に手間も時間もかかり、高額とされてきたが、3Dプリンターや最先端のスキャナーを活用

してオープンソースとして設計データを無料公開することでコストダウンをはかり、デザインの選択肢を増やしている義手、exiii株式会社の「handiii」も展示された。まるでアニメの世界に登場するような斬新なデザインの義手を見つけた男性に、子どもたちがこぞって握手したがる光景は印象的だった。握手したその瞬間、子どもは未来との遭遇に目をきらきらと輝かせて、満面の笑みを浮かべていた。

　お互いのよさを引き出し、相乗効果を上げる。コラボレーションによって、超福祉をより広く社会に伝え、つなげる。そんな想いのもと、これまで過去6回に渡り開催してきた超福祉展では、従来の福祉の目線では見落とされていたヒト、モノ・コト・シゴ

exiii株式会社の3Dプリンターで作る筋電義手「handiii」。子供たちが「かっこいい!」「触ってみたい!」と次々と握手しにやってくる。

会場ではstudioCOOCAのアーティスト横溝さやかさんと、THE BLUE LOVE sense + KAZによるライブペインティングも行った。

トと積極的にコラボレーションしている。

障害の有無に関わらず、ともに学び、ともに生きる「共生社会」の実現を目指す「超福祉の学校」

　障害の有無に関係なく、本来、教育と就労は結びついて考えられるべきものだ。しかし、「教育」は文部科学省、「就労」は厚生労働省というように行政の管轄が異なっており、特に福祉の現場ではスムーズに接続されているとは言い難いのが現状だ。このふたつを共生社会や生涯学習の視点からつなげる試みとして企画したのが、「超福祉の学校」だ。主催は文部科学省で、2018年からスタート。障害の有無に関わらず、ともに学び、ともに生きる「共生社会」の実現に向けて、障害のある方々が日頃の活動を発表・表現したり、多様な人々が互いに思いを伝えあい、学びあうフォーラムだ。会場は、多様性を受け入れ創造性を誘発する空間「渋谷キャスト スペース」を選んだ。

「職場のダイバーシティが生む学び」の様子。右からPDI代表理事の須藤、箕輪さん、岡井さん、木村さん。

　この企画は、タイトルに「学校」と入っているが、二日間にわたるプログラムのスタートを飾ったテーマは「職場のダイバーシティが生む学び」。会場には、文部科学省における障害者活躍推進チームの統括リーダーである浮島智子文部科学副大臣（当時）が参加し、開会の挨拶では「共生社会に向けて現場の声を取り入れたい」と宣言してくれた。

　「超福祉の学校」6つのプログラムのひとつ目「職場のダイバーシティが生む学び」には、3名が登壇してくれた。1人目は、横河電機人材総務本部室ダイバーシティ推進課の箕輪優子さん（※）。障害者雇用促進を目的とした特定子会社の設立を提案した中心人物で、設立後3年を待たずして経営黒字化を達成。知的障

害や発達障害のある方々の力を活かす企業経営の成功例として広く知られている。2人目は、ソフトバンクCSR統括部CSR部の木村幸絵（※）さん。「一人ひとりが特性を活かし、挑戦できる社会へ」をモットーに社内で取り入れているショートタイムワーク制度の実例を紹介していただいた。ちなみにソフトバンクは、ショートタイムワーク制度で2017年のグッドデザイン賞を受賞している。3人目は、ゼネラルパートナーズ取締役副社長の岡井敏さん（※）。同社では、障害者の総合就職・転職サービスや就労定着支援事業を行っている。その中でも、障害のある方々が利益の最大化に貢献している実例として、うつ症状のある方が主役として働く就労継続支援A型事業・アスタネの成り立ちを語っていただいた。ソフトバンクの木村さんが発言されていたが、ショートタイムワークを行なうスタッフは、業務や対人コミュニケーションのスキルアップを感じ、自信を獲得、また生活リズムが整うというメリットを挙げているという。それだけでなく、ショートタイムワーカーと共に働く社員は、部署内の業務を定義する能力が向上し、それぞれの得意・不得意に目を向ける意識が高まったという。「多様な人々が共に生きる社会」は、障害者にとっては社会参加や収入の増加、企業にとっては人材の有効活用、社会にとっては障害者理解や労働力の向上につながる。このことは、3名が語った「ダイバーシティを実現している職場」が証明しているといえよう。

　続いて2019年の超福祉の学校では、「学び×ダイバーシティ」「働く×ダイバーシティ」「次世代×ダイバーシティ」の3つの切

※　2018年時点

地方からも障害当事者が多数参加し、発表や演奏、パフォーマンスを行った。

り口から、10のプログラムを2日間に渡り開催した。

超福祉展がシブヤの街で歩んできた道
—2020年のその先—

　第1回目の超福祉展を開催した2014年。当時の世間の注目度も低かった車イスをモビリティとして提案し、"モノ"をメインに開催した展示会は人々のコミュニケーションを創発し、社会に、人々に大きなインパクトを与えた。

　翌年、2015年の超福祉展では、"モノ"から"ヒト"へフォーカスが当てられるようになり、シンポジウムが中心となった。シンポジウムを通じて、超福祉に関わる人が持つ考えやアイデアが伝えられるようになったのだ。そして、この年から渋谷ヒカリエをメイン会場に据えながら、ハチ公前広場や宮下公園などにサテライト会場が設けられ、渋谷の街中での展開がスタートした。

　2016年は"ヒト"が持つ"ちがい"が伝えられた展示会となった。メッセージ性を強く打ち出したこの年は、プロダクトが誕生した背景や、活動の意味など、モノやヒトの裏側にあるプロセスをストーリーとして可視化し、幅広くメッセージを発信した年となった。

　2017年はシンポジウムやワークショップ、サテライト会場で開催された100名を超える本役を招いてのヒューマンライブラリーを通じて、個々の課題や2020年とその先の夢が共有されるようになった。超福祉展が一緒に何かを生み出せる場としてのイノベーションハブとしての機能を果たし、超福祉の日常を実現するに向けて、ヒトとヒトとがつながるようになっていった。

2016年は渋谷ヒカリエでシンポジウム枠の中で開催した「ヒューマンライブラリー」。2017年には渋谷キャスト スペース（GF）で、7日間に渡り国内最大規模で開催した。

2018年はメイン・サテライト会場だけにとどまらず、渋谷の街中へ積極的に出て、さまざまな人が混じりあった日常をつくり出した。渋谷区内の商店街、花屋さん、クリーニング屋さん、レストランなど、渋谷区内の50を超える事業者が店先に超福祉展のポスターを貼ったり、チラシを置いたり、口頭で案内したりしながら、超福祉展の取り組みを街の一般のお客さんにも広めていただく"ビジョン シェアリング ショップ"をスタートした。こうして、渋谷の街中に超福祉のメッセージが着々と、かつ大きな広がりを見せた。

　フィナーレとなる2020年を1年前に控えた2019年の超福祉展では、次世代を担う子どもたちもちがいを楽しめるコンテンツを用意した。他にも、過去5回、様々な技術開発者や課題解決者を生み出してきたが、企画展では「超福祉ピープルアーカイブ」と称し、これまでの超福祉展にゆかりのある超福祉の実践者たちを一挙に公開した。過去の来場者数を大幅に更新する約75,000人が訪れ、ビジョン シェアリング ショップは100店舗を超え、来年のフィナーレに向けての空気感をしっかりと醸成した。また、新たな取り組みとして、毎年就労体験としてご参加いただいていた渋谷区内の障害当事者の方を、超短時間雇用として16名雇用し、チラシ配りや会場の案内係として働いて頂いた。

　来場者には超福祉を「自分のもの」にしてもらうために3つの切り口から超福祉展を展開している。まずは会場に展示されているプロダクトを見て「知る」、次にシンポジウムに参加し、トークを聞き、ワークショップで手を動かし「考える」、そして体験型イベントでは実際に自分の身体で「体験する」。気づきや発見

ピープルデザイン研究所スタッフより

**目指すは「選択肢のある日常」！
超福祉展でシンポジウムを実現**
布施田祥子（株式会社LUYL 代表取締役）

脳出血と大腸全摘を経て、ふたつの障害の当事者になって気
づいたのは、「障害者には選択肢がない」ということ。そこで
オシャレすることで勇気と自信、自分らしさを取り戻せたらと思
い、靴のファッションブランドを立ち上げました。2017年の超
福祉展ボランティア参加をきっかけに、代表須藤への猛烈な
PRのあと（笑）、運営委員として参加。ファッション感度を武
器に、超福祉展でシンポジウムも行いました。

を持ち帰り、自分なりの実践・実装の行動に移したプレイヤーが
翌年の超福祉展に戻ってくる。日常の中で、超福祉的な好循環が
自然と生み出されることで、2020年のその先も地域や街の"資産"
へと醸成されていくはずだ。

　2018年、2019年の超福祉展にご参画いただいた「JST CREST
×Diversity プロジェクト」。偶然にも、超福祉展の歴代登壇者、
出展者のメンバーが筑波大学・落合陽一准教授の元に集まり、乙
武さんを走らせる「OTOTAKE PROJECT」に取り組んでいる。
2014年から始まった超福祉展から、人と人がつながり、しっか
りと未来に継承されていることを実感した一つの成功例だろう。
　近年は課題意識を持った高校生、大学生を中心とした次世代を
担う若者もシンポジウムに登壇し、メッセージを発信する側に立

ち始めている。また運営を支えるボランティアにも高校生、大学生がそれぞれの意思を持ち、主体的に参加してくれている。こうした次世代が主体的かつ能動的に集まるようになってきたのはこれからの未来に向けて大きな成果と言える。

　はたして「超福祉の日常」はどこまで実現するのか。私たちは、その実現に一番大切なものは、制度やルールではなくインプットをアウトプットに変え、一人一人が行動を起こすことだと考えている。超福祉が「日常」になった2021年から先も止まらず、行動することを考え続けていきたい。

「OTOTAKEプロジェクト」は、2018年の超福祉展でローンチされた。

ピープルデザイン研究所スタッフより

「誰一人取り残さない」社会を目指し
超福祉展運営委員として活動
飯山智史（東京大学 医学部健康総合科学科）

SDGsの大目標に共鳴し、EMPOWER Projectを立ち上げました。2019年には、PDIのコミュニケーションチャームとコラボするだけでなく、超福祉展の運営委員としても活動しています。SDGsというと日本では17の目標が注目されがちですが、最も大切なメッセージは「誰一人取り残さない」。誰もが日常で経験する「取り残され」を、「協力し合える世界」をつくることで解決したいと考えています。

おわりに

ダイバーシティの実現に向けて
次世代と共に

　ここ数年前から、東京オリンピック・パラリンピックを旗頭に、障害者の共生を促進する流れが国内の多方面で散見されるようになった。だが一方で、障害者の55%を占める精神障害ならびに知的障害の方々に対する、具体的なブレークスルーの糸口はいまだ見えずにいる。

　そんな中PDIは、「2020」のその先にある「2030」に向けて、SDGsをメルクマールに次世代と共にダイバーシティの実現に取り組んでいきたいと考えている。その取り組みのひとつが、PDIが2012年の設立時から制作・販売している「コミュニケーションチャーム」のリニューアルだ。

　このチャームは、街中で困っている人に向けて「私がサポートしますよ」という気持ちを表現するファッションアクセサリーで、言葉が通じなくても指差しで対話できるよう、6つのアイコンがデザインされている。編んだりカスタマイズしたり、腰からぶら下げたり、バッグのチャームとして使用したりと、その日のファッションにあわせてさまざまなアレンジで着用できるようになっている。製作作業は全て、渋谷区や川崎市などの福祉事業所に通う障害当事者の方々に依頼しており、彼らの工賃アップに今も貢献し続けている。

　このコミュニケーションチャームのデザインを2019年秋、リニューアルした。基本のデザインは、PDIの若手スタッフや女性スタッフが中心に考えた。

新デザインのコミュニケーションチャームは、マットブラックを基調にしデザインを一新。製作は超短時間雇用で精神障害者の方が行っている。

　さらにリニューアルにあたって、東京大学の学生が中心となって立ち上げられたEMPOWER Projectとコラボレーションした。EMPOWER Projectは、SDGsが大目標として掲げる「誰一人取り残さない」世界の実現をキーワードに活動を行っている学生団体だ。コミュニケーションチャームの初回制作分1,000個は、裏面をEMPOWER Projectのキーカラーであるマゼンタにする。この色は、SDGsが掲げる目標のひとつ「人や国の不平等をなくそう」のテーマカラーでもある。2019年秋以降、PDIならびに渋谷を中心とするファッションショップで、このアクセサリーがさらに広がっていくことを願っている。

　私たちがコラボレーションしたEMPOWER Projectは、街中で困っている人たちに向けて、協力したい気持ちを示す人